香港デモ戦記

gawa Yoshiaki

a pilot of wisdom

章扉・写真レイアウト／MOTHER

目次

2019年6月21日19時頃　デモ参加者にオキュパイされた金鐘の路上

序章

水になれ
香港人たちの新しいデモの形

顔が見えない黒装束の集団

地下鉄の車内にいる乗客が、いつの間にか黒Tシャツの若い男女ばかりになっていることに気がついた。中には黒キャップに黒マスクまでつけている黒ずくめも珍しくない。尖沙咀（チムサーチョイ）駅を出発した地下鉄荃湾（チュンワン）線は、九龍《クーロン》半島から香港《ホンコン》島まで海底トンネルを通る。その多少長めの走行時間、車内には少し息苦しいような独特の緊張感があった。本来、香港人は地下鉄でも周囲にお構いなしに、携帯電話で話したり、友人と大声で話をするのだが、この車中では誰もそんなことはしない。香港とは思えない沈黙が支配し、みんなスマホを凝視していた。地下鉄が金鐘（アドミラルティ）駅に着くと、示し合わせたように、黒い若者たちはみな降りていった。もちろん、私も彼らの後に続いた。

香港島の金鐘には、日本の国会にあたる香港立法会の庁舎がある。その前を通る六車線道路の夏慤道（ハーコートロード）は、この日、六月二一日の夕方からバリケードで封鎖され、デモ隊である黒いTシャツ姿の若者たちが道路上に集まり占拠（オキュパイ）を始めていた。少し歩いた政府庁舎の階段脇の壁には、ポストイットに市民がそれぞれ思い思いの言葉を書いて貼っていく、レノンウォール（連儂牆）も出現していた。「反送中」「民主」「自由」などの言葉が並ぶ。駅の出口では人々にマスクやペットボトルの水などを配るデモ参加者もいた。

政府庁舎の外階段に出現した雨傘運動以来のレノンウォール

二〇一四年の普通選挙を求めて立ち上がった雨傘運動の光景と同じものが目の前に再び現れたのだ。このところの香港は、雨傘運動を敗北の記憶として、無力感が支配しているようだった。民主化運動もどこか停滞気味で、市民は政治への失望感から、このまま中国に呑《の》み込まれていく時代の流れに、身を任せるかに思えた。しかし、二〇一九年六月九日、一〇三万人（主催者発表）の市民が街頭に出てデモ行進を行い、香港政府の逃亡犯条例の改正案に明確にノーを突きつけた。逃亡犯条例への反対という一点で、再び市民は立ち上がったのだ。

だがすぐに、雨傘運動とは雰囲気が少し違うことに気づかされた。前述の通り、まずは参加者の服装だ。今回の参加者はみな黒いTシャツといった、全身黒のコーディネートがドレスコードとされている。また、一様にスマホを凝視しているが、その表情はどこか硬い。二〇一四年の雨傘運動の占拠の現場では、黄色が運動のイメージカラーで、みな思い思いのファッションをして現場には笑顔があったと記憶している。スマホを持つ参加者も多かったが、その目的はテントの中の時間潰しの動画視聴だったり、友人とのおしゃべりやSNSをしたりと、どこかのんびりとしていた。私のような外国人を見つけると積極的に雨傘運動の説明をしてくる参加者もいた。もちろん、みんな笑顔で話しかけてきた。一方で、この場にいる黒い集団は、常に若干の緊張感を漂わせている。

香港警察の本部庁舎がある方向から拡声器の声がした。道路上で何か集会が始まったらしい。声の場所に向かった。これより一〇日程前の六月一二日、香港警察は催涙弾やゴム弾などの武器を大量に使って、立法会に押し寄せてくるデモ隊の鎮圧を行い、多くの怪我人《けがにん》を出し、市民の恨みを買っている。マイクを持った発言者の言葉に、若い参加者たちは同意して鬨《とき》の声をあげていた。発言者も周囲の参加者も学生が中心のようだ。「黒警、黒警」（ハッゲィン、ハッゲィン）とのコールもある。ヤクザ警察、という意味だ。集会は熱を帯びているようだ。

その光景にスマホのカメラを向け、二度程シャッターを切ったとき、マスクで口元を隠した黒ずくめのデモ参加者たちに囲まれた。早口の広東語《カントン》でひとしきり怒鳴られ、「ソーリー、アイム、ジャパニーズ、ジャーナリスト」と言う私に、「ノー・フォト！ ノー・フォト！」と、画像を削除するように迫られた。私は自分のことを、今回のデモを日本に伝えるために来たと説明し、雨傘運動のときから取材をしていることをつたない英語で伝えた。すると、日本語を勉強していると思われる学生が出てきて、私に、日本語で話してくれた。

「日本から来てくれてありがとうございます。でも、参加者の顔は絶対にダメです。お願いします」

日本の取材の現場ならば、警察に言われようが絶対に突っぱねる私だが、彼らの切羽詰まったような表情に同意せざるを得ず画像を削除し、彼らにも確認してもらった。

突如始まった「犬の鳴き声大会」

同時刻、ここからほど近い警察本部には、すでにデモ隊がいた。数千の黒いTシャツの抗議者たちが何重にも警察本部を囲んでいるのだ。「黒警、黒警」のコールがしばらく続いたかと思うと、「黒社会、黒社会」（ハッセイオー、ハッセイオー）のコールもある。警察が暴力を振るうゴロツキだとデモ隊は言いたいのである。他にも何やら、すごい言葉が出ているようだ。合流した香港人の日本語話者に聞いたが「日本語にはないです」と言われた。すさまじいスラングのようだった。「狗警」の声もあがると、デモは一斉に、犬の鳴き声大会となった。「ウォーン、ウォーン」「ワオワォ！」やたらリアルな犬の声には、笑い声が起こった。警察本部の中からは、ガラス越しに警官が群衆を見つめていた。そして、ときおり盾を持ったフル装備の警官が出てくると、レーザーポインターが当てられたり、さらには生卵もぶつけられたりし、しばらくすると、なす術《すべ》もなく中に戻っていった。

デモ隊は、現在「暴徒」として逮捕されている学生たちの解放を要求していた。六月一二日に発生した立法会前の警官とデモ隊の激突では、怪我をしたデモ隊が病院で治療を受けた後に逮捕されるケースが相次いだのだ。

デモは夜まで続き、雨傘運動を煽動《せんどう》した罪で服役し、この四日前に出所してきたばかりの黄之鋒〈ジョシュア・ウォン。元・学生団体「学民思潮」〈スカラリズム〉、現・新政党「香港衆志」〈デモシスト〉メンバー〉が現場に到着して、マイクを持って話し始めた。また、つい数日前まで日本にいた、「民主の女神」と呼ばれていた周庭〈アグネス・チョウ。元「学民思潮」、現「香港衆志」メンバー〉も来ているという。あの雨傘運動の役者たちも、この場に揃《そろ》ったようだ。

この後の展開が気になったのだが、通訳を担当してくれた人は「ここまでしかいられない」という。私は今回の取材で香港に到着したばかり、取るものもとりあえず、現場に急行していた。すでに終電近くであり、私はその場を離れざるを得なかった。その後、ホテルで現場のネット中継を見ていると、この日のデモ隊は撤収を決定すると、早々にみんなどこかに散らばっていったようだった。先程マイクを取ったジョシュア・ウォンが撤退を呼びかけたのだろうか。

翌日の金鐘は、前日のオキュパイが嘘《うそ》のように日常を取り戻していた。六車線の道路には車が往き来しており、警察本部の前にも黒いTシャツ姿の集団はいなかった。ただ、デモ隊が書いたと思われる落書きだけが残されていた。

この日は、目立った動きはなく、香港の街は何事もなかったかのように、いつもの大陸からの観光客などが路上に溢《あふ》れていた。警察本部前を封鎖したデモ隊は、なぜすぐに引いたのか。現地の報道を見ても、今一つはっきりとしない。

デモの新しい形

ここまでの経緯を簡単にまとめる。デモの引き金になったのは、犯罪者を外国に引き渡す「逃亡犯条例」の改正である。この条例改正が実現すると、中国・北京《ペキン》政府が犯罪者と認めた香港人、外国人を香港で逮捕することができるようになり、そのまま中国に送ることが法律上可能になる。市民は猛反発し、条例改正反対の大規模デモに繋《つな》がった。六月九日のデモで一〇三万人の参加者が通りを埋めつくした。

一二日には立法会で審議入りする逃亡犯条例に対して、市民に立法会への「ピクニック」が呼びかけられた。このピクニックは隠語であり、実際は抗議デモだ。無許可デモとなってしまうために、それぞれの参加者は自発的にピクニックと称して、立法会近くの公園や、立法会前の広場や近くの道路上に数万の人々が集まったのだ。そのデモ隊の一部、完全フル装備の勇武派が警官隊と衝突した。警官隊は催涙弾で応戦して、それでも引かないデモ隊には、ゴム弾などの低致死性の銃器を使用した。結果、デモ隊が血まみれになる映像はすぐさま世界に配信された。

立法会は囲まれてしまい、立法会議員は議場に入ることができず、審議入りの延期を余儀なくされた。結果、「逃亡犯条例は棚上げする」と、一五日には政府発表があった。市民側の動きは、政府へ追い打ちをかけるように、一六日には、二〇〇万人(主催者発表)が参加した香港史上最大のデモが挙行された。これは、香港市民の四人に一人が参加した計算となる。

このデモを受け、香港行政長官の林鄭月娥(キャリー・ラム)は一八日に会見し、市民に「社会的な混乱を招いた」として陳謝した。ところが、改正案の撤回だけはしなかった。そのために二一日には、行政長官に抗議するため、冒頭の政府庁舎前の占拠と警察本部の包囲による抗議デモが発生したのだった。

「五年前の雨傘運動とは明らかに違う。今回は、明確なリーダーがいない。そのため、烏合《うごう》の衆となる危険性がある」

香港の研究者、取材者たちの間では、一〇三万人デモの後、実は、こうした懸念が語られていた。雨傘運動には、大学の自治会の連合会である「学連」（香港専上学生連会）の周永康（アレックス・チョウ）や、「学民思潮」のジョシュア・ウォンというようなリーダーと呼べる存在がいた。しかし、今回は、そういった名前を出して先頭に立っているような、明確なリーダーが存在しないのだ。

実際に、雨傘運動でのリーダーたちは、投獄されており、ジョシュア・ウォンなどは、一七日にやっと出所してきたばかりだった。統制が取れない集団は、容易に暴徒となってしまうのだろうか。

私たちは「夢遊病者」です

雨傘運動以来、取材をしている伝《つて》を頼って、この「リーダーがいない革命」の当事者たちに話を聞くことができた。九龍地区の商業ビルの一室で会った二人の若者、A君（二三）とBさん（三六）だ。理系の大学生と、金融関係の会社員という二人の属性を見ただけでも、学生や政治団体などの組織の枠組みでの活動でないことは明らかだ。ちなみに、雨傘のときは「二日程現場に行っただけ」（A君）、「物資班の方を少し手伝った」（Bさん）という程で二人は熱心ではなかったという。だが、現在、彼らがデモで集める人数は二〇〇〜三〇〇人にも上る。

「確かに、そのくらいの人数はいますが、すべて把握している訳ではありません。絶対に信用できるコアメンバーの二〇人くらいが常時連絡を取り合って、後は、そのメンバーが何かの活動をするたびにそれぞれ集めたりしているのです」（A君）

きっかけは、A君が香港高登討論区（日本の2ちゃんねるにあたる香港のネット匿名掲示板）で、今回の条例改正について書き込みをしたことだった。

「激論が交わされた結果、有志と一緒に何かやらねばと思って動いたんです」（Bさん）

五月頃から、チラシを作成して街頭で配布するなどの活動を自主的に始めたのだという。そこに強力な武器が登場する。

「連絡はテレグラムを使います」（A君）

彼らはロシア製の暗号化アプリ、テレグラムで連絡を取り合っているという。このアプリは、通信内容が高度な暗号化技術で保護される上に、削除されると復元が困難になる。当局による監視の目を逃れて、後の訴追を避けるためだ。

「それも絶対に信用がおける人間だけが重要な情報にはアクセスできるように、階層を設定するのです」（A君）

彼らは街頭でのチラシの配布活動さえ、口元にマスクをつけて行う。みなが顔出しで活動をしていることが当たり前だった雨傘運動のときとは、今回は状況がまったく違うのだ。もちろん、金鐘の路上で会った抗議者たちと同様、彼らにも取材にあたっての顔写真は拒否された。

「雨傘のときは現場以外での逮捕はありませんでしたが、旺角（モンコック）の事件以来、ずっと経《た》ってから逮捕されるようになりました。顔と名前を特定されることは大きなリスクです」（Bさん）

雨傘のときには、学生たちのグループが思い思いの組織名入りのTシャツを揃えていたり、自らのグループとしてのアイデンティティを持って活動していたのだが、彼らは名前すらないという。

「便宜的に使っている呼び名のようなものはありますが、対外的に名乗るような名前はありません。そういった必要もないからです。さらに言えば、リーダーもいません。元々、私が声をかけてネットを介して集まったのですが、私はリーダーというよりは、コーディネーターですね」

目の前でそう語るA君に、ジョシュア・ウォンのように、マイクを持って市民に訴えるような熱っぽさはない。理詰めで話すのが印象的な理系男子だった。

彼らは雨傘運動のときには存在していなかった、今回の運動を支える、顔もない、名前もない、頭（リーダー）もいないグループなのだ。

「旺角の事件などのように、暴動罪で逮捕されると数年から最高禁錮一〇年の罪に問われます。これで警察は市民の政治活動さえ抑え込もうとしてきたのです」（Bさん）

彼が繰り返し言う「旺角の事件」とは、二〇一六年の旧正月の二月八日深夜、屋台の取り締まりに端を発して、本土派の学生活動家などが起こした旺角騒乱と呼ばれる事件だ。投石に放火とエスカレートする学生たちに、警官は威嚇のため実弾を発砲した。この暴動の首謀者として、「本土民主前線」の梁天琦（エドワード・レオン）は、暴動罪で逮捕されてしまい、現在も服役中である。この事件以降、過激な抗議活動への市民の反発も起こっていた。

だが、ここにきて実力行使を伴う抗議活動に対して、市民の認識も変わってきたようだ。今回の逃亡犯条例反対デモでは、六月九日の一〇三万人デモの終盤でさえも、勇武派と呼ばれる実力行使を行う黒ずくめのデモ隊が警官隊と激しく衝突していた。そして、一二日の立法会前での抗議では、実質的に立法会を包囲し騒乱を起こした勇武派による実力行使によって、その審議入りを止めたのだ。市民たちは、勇武派に期待するようになっていた。

警察はそうした過激な抗議活動に対して、確実に潰しにかかっていた。

「ネット上で一二日の呼びかけを行った人物はデモの前夜に警察に逮捕されたと聞きます。暴動を呼びかけたということで。だから、今現在は、みんなネットの書き込みにさえ『〇〇で警察を見た』ではなく、『〇〇に警察がいる夢を見たんだが』というような現実ではない報告の形にしています」

そう語るA君たち参加者も「私たちは『夢遊病者』です」と、この状況を自嘲する。「夢で

2019年6月21日21時頃、デモ隊に包囲された警察本部

見たんだが、○日は××で抗議をするといいのではないか」「私は○○でも同時にやるような夢を見た」などの書き込みで議論がされているという。もはや笑うしかないが、これは警察とデモ隊の逮捕要件をめぐる知恵比べの様相だ。

テレグラムは今回のデモで大きな役割を担っているという。「○○が足りない」「××で怪我人が出た」などの最新情報も複数の掲示板を使い分けて、即時にやりとりされる。一見、小さなグループと個人ばかりが参加して無秩序に見えるが、その小さなグループがテレグラムを介して、全体としての決定に従って動いているというのである。

「二一日の警察本部前での抗議活動も、警察署を囲むということを実行しようというのは、三〇分程前にネット上で決まったのです。現場に

行っても、次に何をするのか、私たちでさえ分からないのです」（A君）

これが、デモの現場で参加者たちが一様にスマホを凝視している理由だった。実は、二一日の深夜、警察署を囲んだものの、撤収するかどうか、現場は迷っていたという。そのときの決定のプロセスを、A君はこう語る。

「ジョシュア・ウォンがマイクを取ってこのまま包囲を続けるのか、それとも撤収するのかを群衆に聞いたんです。それでも、結論は出なかった。結局、撤収することは、テレグラムの方で決まったんです。やっぱりリーダーは必要ない」

A君自身は、本土派（中国が本土ではなく、香港こそが本土であるという、香港本位の立場を取る、雨傘運動以降に台頭してきた新しい民主派勢力）を支持している。自決派（香港のことは香港で決めるという民主主義の理念に基づいた立場を取る民主派。旧来の民主派と本土派の中間的な立場でもある）と呼ばれる雨傘運動のリーダーの一人であったジョシュアに対してはあまりいい感情を持っていないらしい。それでも、確信をもってこう語った。

「私は組織や団体を作ってリーダーを生み出すことを警戒しています。結局、リーダーが登場すると、その人物によって人が集まるかも知れないが、離れていく人もいる。今回のように、逃亡犯条例という一つの事件でまとまる方が、うまくいくのです。今回の運動にリーダーは必要ないと思います」

二〇一四年の雨傘運動は、残念ながら、何の成果もなかったと言われている。だが、確かなのは、A君のような、一人一人が自分で考えて行動を起こす、多くの若者を生み出したことだ。その精神は引き継がれて、活動方法は確実にアップデートされている。

水になれ

最後に今回の運動でのキーワードを聞いた。

「水になれ、です」――そう言われて戸惑っていたら、Bさんの答えは、我々日本人もよく知る人物名だった。

「ブルース・リー（李小龍）の言葉ですよ」

心を空にしろ
水のように形をなくせ
水はカップに入れたら、カップに
ボトルに入れたら、ボトルに
ティーポットに入れたら、ティーポットの形になる
水は流れ続け、激流にもなる

友よ、水になれ。

ブルース・リーはもちろん、香港が生んだ英雄である。日本ではカンフー映画ブームで記憶している人が多いと思うが、彼はワシントン大学で哲学を学んで、多くの哲学的な言葉を残している。そんなブルース・リーの言葉“Be water”(水になれ)は、今回の運動の象徴的な言葉として、すでにTシャツなどに書かれ、戦術的なスローガンともなっているのだ。このことから今回の反送中デモは一部で「水革命」とも呼ばれている。

「水になれ」

これは強い。小規模なグループがゆるやかに連携しながら、時に集まり、時に分散し、持続的な活動を続けていくのだ。雨傘運動のような長期的な占拠という手段は使わない。市民生活を続けながらも、警官隊とは激しく対峙《たいじ》し、政府への抗議を続けていく。そんな抗議者は「水」なのだ。いつもはおだやかに流れているが、いつでも形を変えて、時に激しく、すべてのものを押し流す。

今回の運動は、これからもいろいろと形を変えて流れ続けるのだろう。いつの日か、この香港市民の奔流は自由を手に入れるのではないだろうか。

今回のデモで現地に足を運んだ最初の取材で、私は大きな確信を得ることになった。

本書で扱う香港デモの現在までの動きは、こうまとめられるだろう。

――二〇一四年九月に始まった行政長官の普通選挙を求めた民主派市民による香港中心部を占拠した雨傘運動は、結果を残せないまま七九日間で終息した。その後に行われた二〇一六年の立法会選挙では、雨傘運動に参加した若者たちが当選したのだが、当局によって彼らは資格剝奪された。当局の抑え込みに対し、例年行われる民主派によるデモでは参加者が減少し、民主化運動はしばらく鎮静化した。二〇一九年に入り、刑事犯を中国本土に送致できる逃亡犯条例の改正案が立法会で審議入りする際に、反対する香港市民によって、六月九日に一〇三万人が参加するという大規模デモが発生した。警官隊との衝突も頻発し、デモは過激化していき、七月一日には立法会への突入、八月には香港国際空港の閉鎖が発生した。警官隊とデモ参加者は激しく対立し、催涙弾と火炎瓶が飛び交う混乱で、市内ではデモ参加者による破壊行為も行われた。一一月、デモの過激派の拠点とされる二つの大学に対して警察が包囲戦を行い、大量の逮捕者を出した。その一方で、一一月二四日の区議会議員選挙では、民主派が地滑り的な大勝利を収めた。大規模な衝突は少なくなり、二〇二〇年に入り、新型コロナウイルスの脅威が香港にも忍び寄る中、大規模デモは行われず、収束したかに見える――。

こうした出来事は新聞などを読む人たちには既知の事実かも知れない。だが、本書で私が伝えたいのは、デモの参加者たちの表情であり、涙や怒りだ。私は香港人たちの自由への渇望に心揺さぶられながら、ずっと取材していた。本書で、香港の歴史的事実の行間をお伝えできれば幸甚である。

2014年10月　雨傘運動。デモ参加者によってオキュパイされた金鐘の路上

第一章
二〇一四年「雨傘運動」の高揚と終息

非暴力で七九日間の占拠を行った雨傘運動

二〇一九年六月の香港の状況は、突然出現したものではない。ここでは香港の民主化運動を理解するため、二〇一四年の雨傘運動から話を始めたい。雨傘運動の七九日間の経験が香港市民を強くしたと思うからだ。

取材初日のあの日、政治的なメッセージが書かれたポスターに埋めつくされた地下鉄の階段をあがり、地上に出ると、目の前には色とりどりのテントが並んでいた。出口ではメガホンを持って何やら演説をしている若者がいる。同じ駅で降りた香港市民たちは、それに足を止めるでもなく、このオキュパイされている現場に、まるで物見遊山にでもやって来ているように自然と通り過ぎていく。

政府機関、立法会という香港中枢の建物が連なる金鐘（アドミラルティ）駅周辺は、日本で言えば、霞《かすみ》が関《せき》と国会議事堂周辺が繋がったような地区だ。そこが完全に市民によって占拠されていた。数百はあろうかというテントには泊まり込んでいる市民たちがいるのだ。二〇一一年にニューヨークで行われた反資本主義の運動、「オキュパイ・ウォールストリート」を参考にしたのは明らかだったが、この光景を最初に目にしたとき、その解放感に目を奪われた。その雰囲気は、まるで何かの音楽フェスのキャンプスペースではないかとさえ思った。それは、そこにいる人々の雰囲気が底抜けに明るかったからだった。

このときは、金鐘でオキュパイが開始されたニュースを聞いて、香港問題の大先輩ジャーナリストの方からお誘いを受けての香港入りだった。正直、半分は観光気分だった。最初に取材に入ったとき、雨傘運動はすでに三週間が経過していたが、市民たちは結束も固く、オキュパイを続ける学生たちも元気いっぱいだった。色とりどりのテントに、そこら中にある自作のポスター。チラシにも思い思いの言葉が書いてあり、見て回るだけでも楽しめた。

「もしよかったら、どうぞ」

物珍しそうに見ている私たちは、いっぱいのチラシと絵はがきの入った箱を抱えた女性二人に声をかけられた。日本から来ていると分かったようだ。私たちに雨傘運動の絵はがきを数枚差し出した。絵はがきは、オキュパイの現場を撮影したもので、夜にみながスマホのライトをかざしているものや、テントが並ぶ風景写真だ。いい写真をきちんと印刷したもので、おみやげ物屋にあってもおかしくない出来だった。デモには資金が必要だ。てっきり外国人目当ての資金稼ぎかと思い、こちらからドネーションを申し込んだが、彼女たちは受け取らない。

「これは私たちがみんなでお金を出し合って、外国の人に、今、香港で何が起こっているのか、それを知ってほしいから作りました。どうぞ、日本でできるだけ多くの人に香港のことを知らせてください」

そして、簡単に金鐘から中環（セントラル）までのオキュパイの現場について説明をしてくれた。英語が堪能《たんのう》らしい彼女らは自ら進んでこのガイドをやっているようだ。自分がやれることを進んで自分からやる、それは、この先、様々なシーンで出くわす雨傘運動の精神だった。

英国海外市民パスポート

オキュパイの現場で何人かと話をすれば、この運動はみんなで作り上げていくもの、という自覚を持って行われていることがすぐに伝わった。学生たちは自室とも言えるテントで生活しているが、そのテントは自前ではなく、誰かが買って寄付したものだという。時間がある者は時間があるだけオキュパイの現場に行き、お金があっても時間がない人はお金を出す。みんな思い思いに、自分の意志を表現していた。そうして作り上げていった運動なのだ。

オキュパイなので、テントに住み込んでいる「留守者」と言われる参加者以外も現場にはやって来る。普段は車道となっている道路の端に、制服姿の女子中学生（日本の中学、高校にあたる）三人組が座って話し込んでいた。通訳を介して日本から来たことを伝えると、アイドルグループ「嵐」の大野君のファンだという女の子から「こんにちは」とカタコトの日本語が返ってきた。

この場に似つかわしくない彼女たち。今日はデモの見物に来たという感じなのだろうか。

「いいえ、私たちは参加しに来たんです。私たちは、普通選挙の実施を要求している今回のデモに賛成なのです」

なるほど、この場に来て、ここにいること自体がオキュパイであり、雨傘運動の現場に参加しているということなのだ。彼女たちなりの明確な意志を感じた。聞けば、一五歳だという。このことは親には話をしているのか。

「ちゃんと言ってきました。親は心配しているけど、反対はしていません」

「私の親もそんな感じです」

「うちは、行ってこいって言われました」

この日は学校帰りの参加だという。学校でも話題なのだろうか。

「みんなデモの話題を避けている雰囲気です。中には反対している人もいるし」

「でも、一番多いのは、無関心な人だと思う」

「三人で話し合って、できるだけここに来ようって決めたんです」

「これは、私たちの未来に関わることなんですから」

話をしていると、日本の同世代とは政治に対する当事者意識がかなり違うと思えた。彼女たちの年代がシリアスにならざるを得ない理由もある。パスポートの問題だ。中国返還前に香港で生まれていれば、ぎりぎり英国海外市民パスポート（BNOパスポート）を取ることができた。これがあれば、英国民と同等の市民権がある訳ではないが、英国民に準ずる権利が与えられる。この英国海外市民パスポートとは別に、香港パスポート、中国パスポートのいずれかを選択できるのだが、返還後に生まれた彼女たちは、英国海外市民パスポートは取得できない。中国パスポートは論外として、香港パスポート以外の選択肢がないのだ。

「香港をよくするためには民主主義が必要なんです」

さっきまで嵐の話をしていた彼女が熱く語る。雨傘運動が発生し、それが継続している原動力は、こうした学生たちの当事者意識によるところが大きい。実際に、一〇代を中心とした学生団体である「学民思潮」の存在は際立っている。そのリーダーは、黄之鋒（ジョシュア・ウォン）という当時一八歳の学生だ。この三人も、もしかしたら「学民思潮」のメンバーなのか。

「違います。彼の主張には賛成していますが。私たちはどこかの団体に属している訳ではないです。ここには個人的に参加しています」

彼女たちは香港の名門女子校の生徒だった。ここ金鐘の占拠現場には、路上の真ん中に「自修室」と書かれた大型のテントがある。机が並び、LED照明が学生たちのノートを照らしていた。学生の本分はデモを続けながらも果たすという訳だ。

「私たちも自修室で宿題をすることがありますよ。大学生の人に教わったり、楽しいです」

路上に設置された「自修室」の図書スペースを見る高校生

覗《のぞ》いてみた自修室では、本当に学生たちが熱心に勉強をしていた。ここは金鐘の現場でも物珍しいようで、見物客が多いのか、英語で"NO PHOTO" "BE QUIET"と注意書きが書かれていた。

「私たちは香港と自分たちの未来のことを考えて、このオキュパイの現場に来ているんです」

彼女たちの一人から、自作したらしい黄色いリボン（雨傘運動の象徴）をもらった。安全ピン付きのやつだ。さっそく、彼女たちの目の前で、肩のところに着けた。

「ありがとうございます」

日本語で礼を言われた。この占拠を実行するためには警察との激突もあり、催涙弾の中、戦った学生がいる。しかし、彼女たちはそうしたことはできないだろう。

「今、自分にやれることだけをやっています」

雨傘運動の参加者の中では、数十万分の一の存在でしかないが、彼女たちの真剣な視線は、しっかりと自分たちの未来を見据えているようだった。

雨傘運動が起こるまで

ここで、雨傘運動が発生するまでの経緯を少し詳しく振り返りたい。その発端は、二〇一四年の八月三一日の出来事だ。香港は一九八四年の中英共同声明で、一九九七年の中国返還後も一国二制度として、相当高度な自治を五〇年は維持できることになっている。そのため、イギリス統治下で自由貿易港、国際金融都市として発展していた香港は、返還後も世界各国に引き続き受け入れられてきた。その中英共同声明の中で、明言されていたのが、行政長官を選ぶ早期の民主的な普通選挙の実施である。

この約束されていた行政長官の普通選挙の実施を求める市民に対して、北京政府の最高国家権力機関である全国人民代表大会の常務委員会が、この日、明確にノーを突きつけたのだ。一七年に行われる次の行政長官の選挙として香港市民に提示されたのは、選挙委員会が予《あらかじ》め候補者を選定した上での市民による「普通選挙」だった。香港市民は誰もが立候補できて、誰もが投票できるという「真の普通選挙」を強く求めていたにもかかわらず、である。これにより、民主派候補が出馬することは現実的に不可能となった。結果、「我要真普選」は、自由と民主を求める市民の合い言葉になり、活発な抗議活動が行われた。その一つがオキュパイ・ウォールストリートに発想を得た香港の金融の中心である中環を占拠する、その名も「和平占中」（オキュパイ・セントラル）という、市民団体が提唱する運動だった。だが、提唱はしても、大学教授などを発起人とする、この大人たちの集団の腰は重かった。なかなか実行に移さなかったのだ。

事態は若者が動かした。かねてから学生などに、授業のボイコットを呼びかけていた、ジョシュア・ウォンの「学民思潮」が九月二六日、立法会前の広場で座り込みを始めたのである。その座り込みに対して警察は強制排除に動いたのだが、この一部始終は香港のマスコミ、ネットメディアで中継されていた。これに大学生たちも参加し、警官隊と小競り合いとなった。さらに「学生を助けろ」と、市民が地下鉄で次々に集まりだしたのだ。

次々と集まる市民たちに、警察は排除のために暴徒鎮圧用のペッパースプレーや催涙弾を使った。市民に多数の催涙弾を撃ったのである。一方、市民側は、警察の攻撃に対して、無抵抗を貫いた。当時の写真では、ペッパースプレーを噴射してくる警官に対しても、両手をあげて抵抗の意志がないことを示すデモ参加者の姿が確認できる。

このとき、自己防衛の手段として、デモ参加者たちは雨傘を広げて防いだ。市民側には明確な武器がない。武器を持ち出せば、即逮捕となる。そのため、所持していても武器と問われないものとして、雨傘が使われた。このとき、ヘルメットに、ゴーグル、マスク、雨傘という、二〇一九年のデモまで続く、抗議者のスタイルが確立された。

もうもうと舞う催涙ガスの中、傘一つでそれに立ち向かう抗議者たちはバリケードを守り通した。ここで前面に出て踏ん張ったのが、学生たちだった。その支援のため、次々に集まる市民たちは数万にも上り、警察はなす術もなくなり、オキュパイを許してしまう。政府庁舎が並ぶ金鐘は、バリケードが築かれて占拠された。成り行き上、和平占中の大人たちは当初の計画より前倒しでオキュパイを宣言したが、警官隊が再度の排除を試みると、激戦の中、安全を理由に早々に撤退してしまった。この雨傘運動は、発生の当初から学生が動かしていたのである。

タンクマンには絶対なれない

それでもオキュパイの現場は、学生だけではなく、職を持った若者の参加者も多い。彼らの生活の中心にはデモがあった。

「朝はここから会社に行って、一回自宅に帰って、お風呂に入って、またここに来るんです。ここの方が会社からは近いから便利かも」

日系企業に勤めているという彼女、取材当時、テント生活はすでに四〇日を超えていた。上司の日本人には、デモの参加のことは「伝えていない」という。

「逮捕されるようなことはしないし、逮捕されても恥ではないから」

若い女性が野外のテントに逮捕覚悟で野宿をしている姿は、日本では容易に想像できないだろうが、そうやって自分の意志を示して彼女は戦っているのだ。

また、別の女性もここにほぼ住んでいる状態だった。

「中ではエアーマットを敷いて寝るんですよ」

テントの中は、スマホやLEDのランタン、それにお菓子やペットボトルなどが置いてあり、きちんと整頓されていた。それなりに快適そうだ。ペットボトルの水は何本もあったのだが、これには意味があるらしい。

「重しの代わりなんです」

テントは路上に張るので、地面にペグ（杭《くい》）を打てない。そのため、安定させるためには、四隅に重しを置いておくのだ。だが、もう一つの使い方もある。

「警察がやって来て催涙弾やペッパースプレーを使ってきたときには、みんなこれで目や肌を洗うんですよ」

いろんな用途があるために、ペットボトルの水はそこら中にごろごろしている。元々、香港の街の露店でも必ず売っているものだが、ここではほとんどタダで手に入る。物資専門のスタッフが寄付などで集めて、デモ参加者に配っているのだ。

トイレや洗面には近くの政府庁舎の公衆トイレや、商業施設のトイレを使う。政府施設にあるトイレの洗面所にはハブラシが並んでいた。自宅と職場と現場を往き来しながら、必要最低限のものでテント暮らしをしているという。

「一週間に一度は、徹底的に掃除をしています」

彼女は、彼氏も公認で、ここに泊まり込んでいるとか。

「彼は私の参加に反対はしませんが、運動には参加していません」

お互いに政治の話はするが、そうした温度差は理解した上だという。彼女はかなり熱心な参加者のようである。あの催涙弾のときもいたのだろうか？

「あのときは、ヤバいって話があったので、それは男の子たちに任せて、私は前線にはいませんでした」

この頃、日本で雨傘運動の現場が報道されるときには、必ず警官隊との激突の映像がついていた。立ち去らない学生たちに警官隊が催涙弾を発射する激しい衝突の場面だ。

この映像の印象が強いのか、当時から現在まで日本のマスコミの変わらない興味として、人民解放軍の出動がある。雨傘運動が第二の天安門事件になるのではないのか、という懸念だ。

彼女にとっては生まれる前の出来事だが、一九八九年の天安門事件は、もちろん知っているという。

「香港では、毎年、六月四日に、天安門事件の犠牲者の追悼集会も行われます。学校でもそのとき、北京で何が起きたのかをきちんと習います。香港の教育は中国の教育とはまったく違うんです」

天安門事件と言えば、その象徴的な人物、戦車の前に一人立ちはだかった男、伝説の「タンクマン」。彼について聞いてみた。

「知っていますが、私はあんなこと絶対にできません。戦車にかなう訳ないでしょ？　もちろん、すぐに逃げちゃいますよ」

ケラケラと笑いながら答える。そんな彼女が逆に頼もしかった。一九八九年の北京の学生たちの悲壮な決意は、ここ二〇一四年の香港にはない。

貴金属店とドラッグストア

別のオキュパイの現場、旺角（モンコック）のバリケード内でも話を聞いた。ボランティアスタッフとして占拠に積極的に参加している社会人男性だ。

「香港人が香港を取り戻す、そんな戦いなんです。今の香港は誰のための街だか分かりますか？　大陸の中国人のための街になってしまっているのです」

まさに今、彼の話を聞いているこの旺角には、大陸からの観光客がそこかしこにいる。ショッピングバッグを抱えて、雨傘運動の様子を物珍しげに見ていた。

旺角は、東京で言えば、新宿のような街だ。デパートもあり、飲食店も集中しているが、一歩入ると風俗街もある。かつては、香港人が馴《な》れ親しんだ気安いショッピングストリートだったが、現在はことごとく貴金属店だらけになってしまっている。「周大福」（チョウタイフック）、「周生生」（チョウサンサン）、「六福珠寶」（ルックフック・ジュエリー）、これらの貴金属・宝石店の名前は香港に来た当日、すぐに覚えてしまった。ちょっとした繁華街なら、そこら中にあるからだ。それは同じチェーン店が二つおきに続いているような、一種、異様な光景だ。香港の地元の人間の毎日の生活とは無関係な、ロレックスなどの高級腕時計や、数百万円はする純金製の装身具ばかりがショーウインドーに並んでいる。そして、ここを闊歩《かっぽ》するのは、大陸の富裕層、つまり中国人たちだ。

一時の日本でも爆買いが揶揄《やゆ》されたのと同様に、香港人でも中国人の彼らに否定的なイメージを持つ者もいる。街中にて北京語で大声で話し、道端に痰《たん》を吐き、立ち小便すら珍しくない、と香港でもそんなマイナスイメージが存在した。

さらに、「水客」と呼ばれる、大陸側から香港に入境し、行き来を繰り返しながら粉ミルク、紙おむつなどの日用品を買い漁《あさ》り、大陸側で転売して稼ぐ中国人による商売も横行している。

特大のキャリーバッグを一つ二つ抱えて、深圳《しんせん》との境界近くの上水（ションスイ）などのドラッグストアを回り、高値で売れる商品を買い漁るのだ。日本製の紙おむつや粉ミルクなどは、そのために品薄となり、彼らが香港の物価をあげてしまったとまで言われている。ここ最近、こうした中国人観光客、水客への抗議デモも上水などで発生しているという。貴金属店とドラッグストア。気づくと、香港の繁華街は、中国人向けのこの二つの店ばかりになっていたのだ。

「今の香港は大陸からの観光客が落とす金に依存してしまっています。そして、大陸人たちの投資によって、香港の地価は今や世界トップクラスです。香港の若者は実家を早めに出て二〇代のうちに家かマンションを買うのが典型的な人生設計でした。でも、今では給料生活者では家は一生かかっても買えません。実家暮らしの若者ばかりです」

彼自身も実家暮らしだという。香港での地価の高騰は深刻な問題となっている。旺角でもメインストリートから一本入った道には、空き物件がかなりある。これは、日本の地方のシャッター通りの商店街などとは理由《わけ》が違う。地価があがり過ぎて、入居していた店舗が家賃を払えなくなって出て行くのだが、次の店舗もまた、高過ぎる家賃のためになかなか決まらないのだという。書店、おもちゃ屋、CDショップなど、香港人が小さいときから馴れ親しんでいた個人商店はことごとく通りから姿を消した。

「我要真普選」

経済に関しては、香港はすでに中国の一部になっているとも言われている。一九九七年の中国返還に際して、中国全体のＧＤＰに占める香港の割合は二〇％以上にも上っていた。しかし、二〇一四年現在、それはわずか三％になっている。雨傘運動の年、香港の長江実業グループの李嘉誠（レイ・カーセン）は、長年保持していたアジアで一番の大富豪の座を、中国本土のアリババグループの馬雲（ジャック・マー）に譲った。もちろんこれは、中国本土の奇跡的な経済発展のためである。それに伴い香港経済の地盤沈下は明らかなのに、なおも地価は高騰し、庶民の暮らしは圧迫され続けているのだ。

「デモに対して『こんな占拠を続けると地価が下がってしまい、香港経済が混乱してしまう』という反対意見がありましたが、デモの最中にも地価が上昇しているんです。下がるのならば私たちは歓迎なのに、地価はあがり続けています」

彼の親は、七〇年代に香港へ移民してきたという。親世代は香港で働けば働いた分だけ稼げた。その稼いだ金で、自分たちの住宅（マンションの一室）を買い、故郷の広州《こうしゅう》に親兄弟のために家を建てることさえもできたというのだ。それに比べて、現在の若い世代は新築の標準的な３ＬＤＫのマンションの一室を買うのですら、日本円で一億円近くするため、持ち家は諦めざるを得ないという。

「公営住宅には抽選に当たれば入居できますが、その抽選自体が何年待ちという状態で、庶民はほとんど入居を諦めている状態です。それなのに、香港の大陸側の郊外である新界（ニューテリトリー）地区などには、高級マンションだけはどんどん建っています。そこもすごい価格なのにすぐに完売してしまうんです。それで、そのマンションには人がほとんど住んでいない。大陸の中国人の金持ちが投資目的で買うからです」

大陸の富裕層にとっては、香港は一つのブランドであるという。香港で買うものに偽物はないという一種の信仰らしい。そのため、わざわざ香港に来て貴金属製品を買い、不動産所有についても、中国本土よりも個人資産を守ってくれる香港で買うというのだ。そうやって大陸から流れてくる金は、市民に行き渡るのではなく、香港の地価と物価をあげるだけになっている。香港市民の憤懣《ふんまん》は一体、どこにぶつけるべきなのか。こうした事態に、香港の政治家は何ら有効な手だてを取れていない。

「人が住んでいない新築のタワーマンションと、入りたくても入れない古い公営住宅。これが、香港人の生活の現実です。だから、中国のためではなく、香港人のために政治を行ってくれる、私たちの行政長官が必要なのです」

今回のデモはワンイシューでまとまっている。「我要真普選」。この五文字は、どのオキュパイの現場でも一番見た単語だった。香港市民は約束されたはずの民主主義を実現することで、香港を自分たちの手に取り戻そう、そう考えているようだった。

催涙弾のコツ

そこら中に「我要真普選」と掲げられているということは、前述のように行政長官は、普通選挙で選ばれている訳ではないということだ。この「我要真普選」と同じくらい頻繁に見かけるのが、「689」という数字が入ったポスターだ。

「この数字こそ、ある意味、今回の騒動の元凶ですよ」

彼に説明してもらった。689とは、当時の香港のトップである梁振英《りょうしんえい》行政長官のことだという。二〇一二年三月、彼が中国共産党の強力な推薦がありながら、香港の選挙委員会一二〇〇票のうち、六八九票という歴代最低の得票数しか取れなかったにもかかわらず当選してしまったことに由来する。「エラー689」などと書かれたTシャツを着ているデモ参加者もいる。しかし、この別称には、香港市民のもっと辛辣な悪意が込められている。689には7がない。ゆえに「無七用」と呼ばれる。広東語《カントン》には、七と同じ発音で男性器を指すスラングがある。つまり、689とは、「たまなし」「へたれ」の意味でもあるのだ。香港市民の自由を守るよりも、北京政府に媚《こ》びへつらう様子は、まさに689という訳だ。このあたりのスラングの豊富さに関しては、広東語は世界屈指のボキャブラリーを誇ると言われる。

「日本では自分たちで議員を選んで、総理大臣を選ぶでしょう。それが民主主義です。それができていれば、こんなことは香港人もしませんよ」

民意は民主主義を求めている。その声から生まれた雨傘運動なのだ。そうした市民をまとめている側の人間に話を聞きたかった。伝を頼って、金鐘に向かった。

「夜は金鐘に一〇〇〇人以上がいます。ここから会社や学校に行く人も多いです。ずっとここを守っているんです。私は自営業で現在は開店休業中です。だから、たまに家に帰って両親とゆっくり過ごす感じです。そんな参加者が多いですよ。ここにいれば、三食食べられて温かいスープも出ます。お母さんたちが手作りの料理を作ってやって来る。だから、ここでデモを始めて二、三キロ太ったって人も珍しくないんです」

そう答えてくれたのは、金鐘の現場で一つのブロックを担当しているボランティアリーダー、葉錦龍（サム・イップ。二七歳、当時）氏だ。日本で仕事をしたことがあり、日本語が堪能である。

「私たちを支援してくれる人、企業は多いんですよ。お金をもらう訳にはいかないから、物資をもらいます。どんなものでも少なくてもいいんです」

現場には「物資站」と書かれた物資補給所のテントがあり、様々な物資が用意されている。必ずあるのがペットボトルの水だ。それに、軽食になるようなクラッカーや、バナナなど。見学者である私たちにも彼らはすすめてくる。それと同時に不足気味の物資は、欲しい物リストがあり、寄付を呼びかけていた。

また、いろんな催し物も企画されていた。イタリアからカンツォーネの歌手が来ていて、その美声を披露している場面にも出くわしたことがある。こうしたゲストは毎日のようにやって来ていたようだ。現場の抗議者による表現活動は活発で、アーチストの男性が路上で特大の絵を描いていたり、雨傘の現場ならではのアート作品の展示も行われていた。警官隊との激突をレゴブロックで再現したり、「我要真普選」の特大バナーが掲げられた獅子山(ライオンロック)のジオラマなど、見どころも多かった。道路上の落書きなのだが、「ドラえもん」などの絵は記念撮影の行列ができていた。

路上の各ブースはお祭りの出店のようでもあるが、よく見れば政治的なチラシとポスターばかり貼られており、政党や政治団体のものだ。そのチラシがまた、いろんな創意工夫がされており見ていて飽きなかった。占拠の現場には、そこかしこに笑顔があるのだ。

スタッフはどんな人たちなのだろうか。

「このデモを支えるコアなメンバーはいます。主力はバリケード隊ですね。それぞれ担当のバリケードがあって、そこを守っているんです」

バリケードは、鉄柵などを結束バンドで繋ぎ合わせて作られていた。片道三車線の幹線道路を封鎖しているために、自動車が入れない。警察は何度も撤去しようとやって来たが、学生たちが、そのバリケードを死守して、今までオキュパイが続いてきたのだ。平和な運動とはいえ、最低限の実力行使がなければ、こうした運動は成立しないようだ。

バリケード隊は、その最前線の近くにいて、自転車で巡回するなどして、警察側の動きを逐一チェックしているという。前述の物資站には、そうした緊急時のための装備として、ヘルメットやガスマスクも備蓄されている。

デモの中心地である金鐘には、人民解放軍が駐屯する中国人民解放軍駐香港部隊ビルがあり、別のバリケードの近くには警察の本部もある。この占拠は、こうした微妙な力関係で成り立っているように見えた。

「人民解放軍は、週に三回くらい訓練なのか演習なのか銃を持って何かやっているんです。やっぱり不気味ですよ」

警察にも人民解放軍にも銃器がある。もし彼らが、そうした銃器の使用を決断したら、デモ隊側がいくらバリケード越しに抵抗したところで、傘では防げないだろう。だが、デモ隊の戦意は旺盛だ。おだやかに語る彼も、催涙弾を最前線で浴びた一人なのだという。

「あれはなれるとそうでもないんですよ。催涙ガスが吹き出す反対側に回ってから、それを摑《つか》んで投げ返すんです」

涙でむせながら、いつの間にか、そうしたコツをみんな覚えるのだという。人民解放軍や警察と対峙しているのは、こうした徒手空拳の若者たちだ。彼らの情熱は一体、どこから来るのだろうか。

旺角のストリートのシド・ビシャス

雨傘運動はこのときまで一ケ月以上が経過していたが、警官隊との衝突で負傷者を出したとはいえ、一人の犠牲者も出ていない。そのことが、どこか雨傘運動を明るい雰囲気にしていた。最初期の市民への無差別な催涙弾発射で批判を浴びた警察は、それ以後、ソフト路線で対応していた。行き過ぎた私刑をデモ参加者に加えていた警官たちは、その罪で逮捕さえされていた。その結果、警察の実力行使も限定的となり、行使するにしてもかなり自制的だった。バリケード越しに対峙しながらも、時々デモ隊と警官が親しげに会話をすることさえあったという。総じて平和な抗議活動だったのだ。

　そうした雰囲気は、ポスターにも現れている。世界的な反体制の象徴であるチェ＝ゲバラの絵は皆無で、手描きのジョン・レノンがあるだけだった。それよりも目立つのは「となりのトトロ」や「鋼の錬金術師」、「ドラえもん」なのである。デモの中心となる九十后（ジューリンホウ。九〇年代生まれの意）は、ロックより日本のアニメなのだろうか。このとき、カルチャー雑誌の取材で雨傘運動の現場を訪れていた昭和生まれの私としては、こうしたムーブメントには、ロックやパンクが欲しいところだ。

「金鐘はお坊ちゃんお嬢ちゃんの場所だから」

そんな声を聞いたのは旺角の現場だった。前述の通り、ここは日本で言えば、新宿だ。受験戦争が厳しい香港で、その勝者とも言える大学生たちが主体で、政治団体のブースも多い金鐘の現場。一方、旺角は元々庶民の気安い街ということで、労働者階級の若者が多いという。参加する社会階層もだいぶ違っている。ということは、パンクスもいるのではないか。

その日、午前中、旺角の現場に私は一人で来た。通訳の都合がつかなかったからだ。警官隊がテントを張って警戒している交差点の前にバリケードがあり、そこに彼はいた。元々、暖かい香港では革ジャン自体が珍しいが、彼はダブルのライダースジャケットを着て黒のスリムジーンズだ。パンクスだろうか。

「アイム・ジャパーニーズ・ジャーナリスト」

まったく酷《ひど》い英語で話しかけた。彼は突然現れた日本人を訝《いぶか》しげに見ている。香港は英語教育が盛んであるが、格差社会でもあり英語をまったく話せない階層もいるという。こちらの酷い英語に、彼も酷い英語で答えてきた。なんとかインタビューはOKしてくれた。だが、名前もダメ、写真もダメ、ここで何をしているのかも「言えない」と。ただ、もう四〇日間参加しているらしい。その証拠だろう、無精髭《ぶしょうひげ》が伸び、髪はフケだらけだった。目だけが異様にギラギラして、血色は悪く、まるで汚れたシド・ビシャスだ。思い切って聞いてみた。

「ドゥー・ユー・ライク・セックス・ピストルズ?」

「イエス!」「ザ・クラッシュ?」「イエス!」「ザ・ダムド?」「?」「ダァムド」「オー、イエス!」

カタコト同士で盛り上がり、iPadで曲をかけた「アナーキー・イン・ザ・U.K.」だ。いつの間にか二人で歌っていた。後ろの警官が何事かと、こっちを見ている。知ったことではない。「シット!」「ホワイト・ライオット」まで歌ってから聞いてみた。

「俺たちの後ろの警察についてはどう思う?」

「シット!」

「それでも、ノー・バイオレンスでいくのか?」

「イエス! ノー・バイオレンスだ」

こちらのiPadを見て、彼が指を止めた。イギリスのアナーコパンク・バンドのCRASSだった。

「この運動はアナーキー&ピースか?」

「そうだ、アナーキー&ピースだ」

そう言いながらタバコに火をつけた彼は小刻みに震えている。風邪をひいているようだ。仲間と一つのテントと布団をシェアしており、衛生状態も最悪だ。前述の通り、ここ旺角は学生より労働者階級が多く、思想的には急進派が多いという。彼もそんな一人のようだ。また、親中派の地元の黒社会（香港マフィア）の人間が時々襲撃に来ることもある。

「ここは常に敵に囲まれている。金鐘よりはハードな場所だ」

旺角は、最前線なのだ。そんな話をしていると、彼の仲間たちが食事を持ってやって来た。温かい食事でデザートのバナナまでついている。その仲間は「一六歳だ」と自分の年齢を語った。彼らはこの持ち場で、自分たちのバリケードを守っているようだ。布団が敷いてあり、食べると一六歳はすぐに寝てしまった。どうやら、昨晩、ちょっかいを出してくる奴らがいて、朝まで眠れなかったようだ。最前線の男臭さが、彼らの悲壮な決意をそのまま表しているようだった。

仲間が来て、ちょっとバツが悪そうな彼に礼を言って去ろうとしたときだ。

「いいか、俺は中国人じゃない、香港人だ」

そう言うと、香港のシドは最後に握手をしてくれた。

その日、銅鑼湾（コーズウェイベイ）の占拠の現場に行った。学生が主体の金鐘。その金鐘とは微妙に折り合いがうまくいっていない団体や個人が集まっていた旺角。香港の三ケ所の占拠現場の中では、銅鑼湾は前述二つの現場と比べるとかなり小規模でやっていて、香港一有名なデパートである「崇光百貨店」（元日系デパートの「そごう」）の真ん前ということもあり、いつも歩行者天国の延長のようで、平和だった。

だが、この日は前に来たときより雰囲気が騒がしかった。どうやら、デモ隊が占拠しているところに、「ブルーリボン」と呼ばれる政府支持の親中派団体が乗り込んできて、デモ隊批判の演説をしているようだった。一緒に来た通訳が吐き捨てるように言った。

「あいつら時給もらってやってるんじゃないか」

マイクを握って演説をしている女性は勇ましいのだが、彼女が引き連れている政府支持の賛同者、五、六人はどうにも頼りなかった。五星紅旗（中国国旗）のTシャツを着た運動員は、老人ばかりだったのだ。老人のプラカードには「ジョシュア・ウォンを逮捕しろ」と書かれており、その先には「学民思潮」のブースがあった。

よく見ると、そこに探していたジョシュアがいた。彼はたった今現れたらしく、みるみる周囲に人垣ができた。市民たちに取り囲まれる姿は芸能人並みだ。ショッピングゾーンでもある銅鑼湾の通りで、デモに理解を求める内容のチラシを通行人に配り始めた。受け取った人たちの反応は、一様によい。みな彼と写真を撮りたがっていた。若者だけでなく中年男性や外国人

銅鑼湾路上のジョシュア・ウォンと親中派男性

観光客までも。

その光景が面白くないのか、親中派団体の中で、唯一の三〇代と思われる大柄な男は、ジョシュアに近づき、彼の顔写真付きの「逮捕しろ」のプラカードを掲げた。か細くて体格負けしているジョシュアは、それにひるむことなく、その男が着ている五星紅旗のTシャツの胸元にチラシを突きつけた。

「是非読んでください」

ジョシュアの言葉に、男は無表情のままで一言も発しない。その様子を見ていた香港市民は口々に語っていた。

「広東語が分からないんだ」

「大陸人なんだろう」

「あいつ、時給はいくらだ？」

男は無言でプラカードを掲げ続ける。親中派団体がデモ隊のブースを破壊する小競り合いが先程あったばかりだ。警備にあたっている警官も緊張して見守る中、ジョシュアは、スマホをかざすと、親中派の男と一緒に自撮りした。その日の夜、この奇妙なツーショットはジョシュアのフェイスブックにアップされていた。この一八歳は、やはり手ごわい。

ガンダムマニア

通訳が「老人たちは時給をもらっている」と語るのには理由がある。実際にそうした募集と支払いが行われていることが数多く確認されたことと、老人たちは親中派にすがるしかないからだ。まず、地上波で無料で見ることができるテレビがＴＶＢという中国資本による北京政府の広報のようなテレビ局しかない。老人は、テレビが好きなために、大陸側の番組に感化させられることが多いのだという。また、驚くことに、香港の選挙では、立候補者が有権者に米などの食品などを配ることが半ば公然と行われているという。確定拠出年金などがない香港では、老人は、こうした親中派の援助を非常にありがたがるのだ。

「それでも、老人たちは現金だから、金が出ないとやらない」

しかし、もっと深刻なデモ隊の敵もいる。「香港黒社会」、つまり香港マフィアである。チョウ・ユンファなどが主演し世界的ブームとなった香港ノワールと言われる映画の舞台となった、香港の裏社会の住人たちだ。だが、映画に出てくるような任侠《にんきょう》精神溢れる存在は少なくて、香港政府や、その意を受けた親中派などの権力者側についていることが多い。警察が行えない、デモ隊への直接的な暴力を、彼らが代行していたようだった。

そんな黒社会の人間たちが、旺角の占拠現場に黒のタンクトップにマスク姿で五星紅旗を掲げて現れたのを目撃したことがある。二〇一九年とはまったく逆に、雨傘運動では、親中派がそんな格好をしていた。

探し回ったジョシュア・ウォンをやっと取材する機会が巡ってきた。日本から来たフリーライターで、雨傘運動の取材だと伝えて、インタビューを申し込むと、テレビカメラのインタビューの後で、少しならと言われた。

香港メディアのリポーターの質問に彼は答え始めた。

「デモが長引いて住民に迷惑をかけているのは分かる。しかし、原因は対応をしない政府にある」

「市民にはデモという手段を取ることを理解してほしい。今後は、こうしてブースを出したりして、市民と対話をしていきたい」

「もちろん、違法行為だという認識はある。そのため、いずれは警察に出頭するつもりだ」

一八歳になったばかりの学生がその覚悟を語っていた。ひと通り、今後の運動方針をテレビに答えてから、私のインタビューに答えてくれた。

――あなたの、その運動にかける情熱はどこから来るのか？

「三年前に愛国教育への反対運動を始めた頃から、その仲間たちと立ち上がって以来ずっと続いているんです。仲間がぼくの原動力なんです」

二〇一一年、中国本土と同じ愛国教育が導入されようとしていた香港では激しい反対運動が巻き起こった。三万人以上が参加するデモが実施され、当の学生たちも次々に立ち上がり、ついに翌一二年、香港政府は、方針を撤回したのだ。そのときに、一躍名をあげたのが、「学民思潮」とジョシュア・ウォンだった。

――雨傘運動の盛り上がりをどう思うか？

「多くの香港人が参加してここまで大きくなるということは、想定外でした。だけど、運動は次の段階に入ったと思う。新しい方向性も考えたい」

――北京政府は学連の幹部との話し合いを拒否したが、今後、どうするのか？

「拒否したことによって、逆に香港のデモ隊の間には今より反発が増えるでしょう。逆効果だと思う。中間派の人たちからも我々が支持されるのではないか。ああいうことをするのは北京が、我々学生を恐れている証拠だと思う」

一八歳とは思えない堂々とした受け答えだ。実は、日本を出発するときから、ジョシュアに会えたら、これだけは絶対に聞きたいことがあった。彼が好きだという「ガンダム」についてだ。

——あなたはガンダムのファンだと聞いた。なぜガンダムが好きなのか？

日本から来たインタビュアーのちょっと外れた質問に一瞬だけ間があいたが、すぐによどみなく話し始めた。

「ぼくが好きなのは『機動戦士ガンダム００《ダブルオー》』なんです。政治的要素が入っていて、領土問題や地域紛争などの現実世界が反映されているから好きなんです」

堅い内容の質問ばかりの中、この質問にだけ、一八歳の少年の顔になった。彼の持つガンダムのプラモデルが家宅捜索で警察に押収されて、最近、返却されたのだが、せっかく組み上げていたものが、バラバラにされていたという。私はこのエピソードを聞いて、何だか、日本にもよくいるオタクっぽい若者と同じではないかと、彼が身近に感じられた。

——日本の若い世代にメッセージを。

「日本には民主主義があるが、香港にはない。だから、今、ぼくはここにいて戦っている。日本の若者たちは、今ある民主主義を大事にしてほしい。民主主義はどんな間違った政治でも改善することができる。民主主義によって、政治は官僚たちだけのものでなく、若者のものにもできるのだから」

そう言うと、彼は仲間から時間が来ていることを知らされ、去って行った。運動のリーダーとしての自覚なのか、一分一秒を無駄にしないよう現場を走り回っているようだった。

迷走する雨傘運動　立法会突入と政府庁舎包囲作戦

事態は膠着《こうちゃく》状態のまま、時間だけは過ぎていく。このときの学生たちの認識としても、香港政府だけを相手にしていては埒《らち》があかないと分かっていたようだ。実は、学生たちは占拠開始から三週間程経過した一〇月二一日の時点で、政府のナンバー2である林鄭月娥（キャリー・ラム）政務官（当時）と面会を果たしていた。その様子はテレビ中継されたが、面会の場に現れた周永康（アレックス・チョウ）などの学連幹部たちにとっては、だまし討ちに近い形での面会となった。事前に面会での条件を出していたものがなし崩し的に反故《ほご》にされていたのだ。これは、話し合いの場を設けて市民の意見を聞くそぶりだけ見せて、ほとぼりが冷めた頃に強行する、そんなキャリー・ラムの十八番《おはこ》とも言える手法だ。もっとも、この汚い手口が、この後、北京政府には評価されたようではあるのだが。

結局、689（梁振英《りょうしんえい》行政長官・当時）は本当に北京政府の傀儡《かいらい》にしか過ぎないことが判明しただけだった。事態を打開するためには、北京を相手にしなければならず、一一月七日、アレックス・チョウら学連の幹部は北京で習近平《シージンピン》国家主席と対話をしようと中国広東省深圳に向かったが、出国さえもできなかった。再び、一一月一五日には空路北京入りを目指したが、このときも飛行機に搭乗すらできなかった。

同時期、市民の間では雨傘運動に対しての反発が広がっていった。当初こそ市民から支持されていたのだが、この時期の世論調査では、七割の市民が即時撤退を求めるようになってしまった。政府から何の譲歩も引き出せないという成果が出ないことへの反発もあったようだ。こうして占拠という抗議手段が行き詰まる中、一一月一八日、金鐘では警察による部分撤去が開始された。

デモ参加者の心にあせりがあるのは明らかだった。まだ占拠を続けているうちに、何か行動を起こせないか。事件は、すぐに起こった。

一一月一九日未明、一部の急進派は立法会への突入を試みた。立法会の入り口前、ホールはすでにデモ隊による占拠が行われていたが、ガラスを割っての建物内部へ強行突入を試みたのである。実際に、立法会のガラスにヒビを入れるなどしたときの写真がある。だが、警備の警官がすぐに駆けつけ、ペッパースプレーなどで鎮圧されてしまった。ここでも逮捕者が出た。実は、雨傘運動の初期から、立法会への突入は検討されていたという。この年に台湾で発生したひまわり学生運動と同じように、占拠するならば、議会だというのである。だが、ひまわり学生運動では、台湾立法院の院長がデモ隊を支持しており、そうした背景で行われた議会占拠だった。一方の香港では、そうした強力な味方は政権内部にはいない。

結果、六名の逮捕者を出し、事件には、急進民主派と呼ばれていた政党「熱血公民」のメンバーが関与していたとして、彼らは雨傘の現場で孤立した。この政党は、ネットを中心として反共を強く打ち出しており、マンガ雑誌を発行するなど、独特の活動を行うことで知られていた。

ＩＤ表示のない警察官

一一月二六日、旺角では、全面的な強制撤去が行われた。強硬派が多い旺角は警官隊と激しい衝突が起こったのだが、次々と排除されていった。この後、旺角のデモ参加者も金鐘に集結することになる。

非暴力をずっと訴えて雨傘運動をリードしてきた学連は、旺角からの残党や一部のデモ参加者から突き上げを食らった。「座っているだけではダメだ」「もっと効果的な行動をするべき」と糾弾されたのだ。一部でずっと議論されていた「政府庁舎の包囲」作戦を実行すべきとの声があがった。市民の支持を失い、雨傘の現場でも求心力の低下が顕著な学連は、何らかの手を打つしか選択肢が残されていなかった。彼らは決断した。

それが実行されたのは、一一月三〇日。深夜の集会から学連幹部の指揮のもと、警官隊との衝突を繰り返しながら、朝には政府庁舎を完全に包囲してしまった。私は日本から、この包囲の様子のネット中継を見守るしかなかった。

翌朝一二月一日は月曜日だというのに、政府はその機能を完全にストップされてしまった。それまでにない事態である。このとき、学連の作戦は成功したかに見えた。だが、午後には警官隊の大量動員によって封鎖は解かれて、結局、多くの逮捕者を出してしまった。

一瞬でも政府庁舎を完全包囲した学生たちに香港警察は手段を選ばなかった。催涙ガスを浴びせ続け、警棒を無差別に振るった。ここで、旺角の撤去のときから登場した、今まで見なかった警官の姿が香港のデモ参加者たちの間で話題となっている。前述のサム氏に話を聞いた。

「IDがない警官がいるんです。広東語で叫んでもまったく反応がなく、理解できないみたいです」

香港警察は肩章や胸に個別のID番号を表示している。その番号を参照することで、それが誰であるのか、すぐに分かるのだ。香港警察には、この制度の導入により汚職警官を一掃して市民の信頼を勝ち得てきた歴史がある。しかし、制服は着ていてもIDがない警官たちは、問答無用で学生たちに警棒を振るい、腕を折り、頭を割っていった。無差別な暴力はマスコミにも向かっていたという。この警官の登場に、反発の声が広がった。

「ついに中国本土の武装警察が秘密裏に動員されたのではないか」

「香港政府は、一国二制度の自治を放棄している」

一部にIDの表示がない警官がいることを会見で警察も認めた。通常のパトロール任務などについていない警察官だというのだが、事実なのだろうか。その一方で、広東語が理解できないのではないかという疑惑には明確な回答はない。

梁振英であれば、大陸から武装警察を受け入れるという香港市民を裏切る行為をしていても、まったく不思議ではないのだが。

「この時期は、みんな打つ手がなくなったと感じていました」

政府庁舎の包囲が失敗に終わって、金鐘の陥落は時間の問題となった。前述の参加者の、この時期の感想である。学連幹部は、政府庁舎包囲という実力行使を反省し、今後は非暴力を貫くことを宣言した。近々行われる全面排除では、幹部たちは、座り込みをして、一切の抵抗をせずに逮捕されることを決定したのだ。世界が注目した雨傘運動はこうして終了していくことになった。

「一二月一一日に撤去が決まったので、一〇日の金鐘の現場はお別れ会のような感じでした。次々に参加者が登壇して話をして、最後はカラオケ大会になりました。何だか卒業式のような雰囲気でしたよ」

金鐘の占拠の現場には、ステージが作られていた。本来ならば車道の真ん中である場所だ。

雨傘運動の期間中、このステージでは連日、誰かがスピーチをしたり、重要な連絡を伝えたりと、運動の中心でもあった。グループによっては酒も入って、いろんな形で雨傘最後の夜を惜しんだという。

この運動の最後を見届ける。その思いで、私は早朝到着の便で香港に降り立った。

金鐘現場の撤去当日

早朝の雨傘の現場は、混乱を極めていた。元々、雑然としていた現場だが、今後も使える機材や物資などが持ち出され、撤収のためにそこかしこにブースやテントが乱雑に散らかっていた。参加者の意地なのだろう“WE WILL BE BACK!”や“It's just the beginning”のバナーなどがそこら中に掲げられていた。参加者はおのおののグループごとに記念写真を撮影していたり、団体の旗を持った運営側と思われる人間は最後の集会を行っていた。別のブースでは、この先もまた使う機会が来るであろう物資の仕分けに忙しかった。

参加者はみな一人一人、雨傘運動へのそれぞれの思いを持って、撤去前のこの場に来ているようだった。ヘルメットにサングラス、マスク姿にプロテクターを装備した三人組がいた。旺角から流れてきて、最後まで徹底抗戦を主張しているのだろうか。また、黒一色の服装に黒い旗を持って佇《たたず》んでいる老人がいた。その旗の意味を聞いたところこう返ってきた。

「これは香港が死んだことへの弔旗だ。今日、香港の民主主義は死んだんだ」

またこの平和的な撤収にわざわざ水を差しに来ていた親中派の女性もいた。手に持ったプラカードには「警察支持　学生は法廷で重罪になる」などと書かれていた。現場にいる参加者たちは相手にするでもなく、黙々と作業をしていた。

正午近くの現場には、雨傘運動の終焉《しゅうえん》を見届けるために来た市民たちが溢れて、かなりの賑《にぎ》わいも見せていた。そうした騒ぎにもかかわらず、テントの中で寝ている男たちもいて、どうやら昨晩、痛飲したのかまだ酔いつぶれていたようだ。


午後になると、警察の数がどんどん増えてきた。彼らは通常の制服で素顔だった。言われているＩＤがない警官は見あたらないが、七〇〇〇人が今回の撤去のために投入されたと言われている。警官隊が金鐘の占拠の現場を包囲して、東西の主要なバリケードを撤去し始めたのだが、まだ二〇〇〇人程のデモ参加者が現場にいた。彼ら参加者に警察はマイクで告げた。

「あと三〇分でここを退去しない場合は、参加者として逮捕する」

その指示に従って占拠地が閉鎖された後、外に出た人たちは、ＩＤを警察に確認された。彼らはブラックリスト入りしたという。

「警察幹部の家族が知り合いにいて、話を聞いたのですが、私など活動をしている人間については、警察がリストアップを進めているそうです。香港の法律では政治活動の自由が保障され、警察がこうした活動の映像記録を撮ることは厳密に定められていたはずなのですが、現在は小さなデモであってもすぐに撮影を始めています」

大陸では、顔認証の技術を導入した防犯カメラなどの設置も盛んだ。それにならい警察は香港に監視社会を作ろうとしていると、話を聞いたデモ参加者は懸念していた。

ただ、こうした香港でのデモ参加者への弾圧も、大陸の公安（警察）では、まだまだ手ぬるいと思われているようだ。この時期、ある香港人が広州（広東省の省都）で実際に経験したことだ。

香港と同じ広東語が通じるために、広東省の大学に進学する香港人学生もけっこういる。その学生が休みを使って、雨傘の現場にやって来ては、デモに参加していたところ、あるときから、デモの現場に出てこなくなった上に、電話にも出なくなった。心配して彼を訪ねて行った仲間にこう告げたという。

「香港警察からこちらの公安にデモ参加者だと連絡が行ったようだ。こっちの下宿に警察が来たんだ。香港で何をやっているのかって。それから、自分の電話も盗聴されているようだ。悪いが、もう自分は運動には関われない」

この友人の話に香港の仲間は暗澹《あんたん》たる気持ちになったという。大陸の市民への監視体制は、現在の香港の比ではない。そもそも自由や人権という概念すらない場所なのだ。同じ広東語を話すのだが、香港人と広東省の中国人の間には大きな隔たりがある。また、この事実から、香港の警察と広東省の公安が、連携を取っていることが窺《うかが》える。市民の情報もこうして共有しているのだろう。大陸でビジネスを行う香港人は、やはり民主化運動には関わりづらいのだ。

一方、北京政府としては、香港の民主化運動が少しでも大陸に波及することは、絶対に阻止しなければならないのだろう。雨傘運動は完全に潰してしまう必要があったのだ。

最高齢の逮捕者

撤去の日、個人的に一番ショックだったのは、金鐘にある「自修室」と書かれた大型テントが、香港警察によって破壊、撤去された瞬間だった。警官隊が壊してしまったのは、単なる大型テントではなく、香港の未来そのもののような気がしたからだ。この場所では、この数時間前まで中高生たちがいつも通りに勉強を続けていた。

以前、取材に訪れたとき、写真は断られたのだが、自修室については、現場に来ていた中学生（日本の中学生、高校生にあたる）に説明を聞けた。彼女は「学生の私が今できること」として、抗議活動に参加するつもりで、この自修室で勉強をしていたという。取材に来た私に、丁寧に礼を言い自作の黄色いリボンを手渡してくれたのだ。

「つけてくれているだけで、私たちが勇気づけられます」

もしかしたら、その彼女がさっきまでこの場所にいたのかも知れない。しかし、警官隊は容赦なく、この自修室に手をかけていた。それは、そのまま、習近平の言いつけを忠実に実行していた梁振英香港行政長官（当時）の姿そのままだった。彼らは北京政府の命令通りに、この日、香港の未来を殺したようでもあった。

座り込みをして逮捕されたのは学連や学民思潮の幹部だけではない。民主派の大物議員や、何韻詩（デニス・ホー）という人気女性歌手もいた。彼らが座り込みの現場から次々と排除され、逮捕者として警察車両まで連行されるたびに、見守るデモの支持者から歓声と拍手が沸き起こった。この日だけで二〇〇人程が逮捕されたという。その中には、こんな逮捕者もいた。

金鐘の現場で強制排除が始まる直前のことだ。現場に残るのは、逮捕されるという覚悟を決めた参加者たちだけだ。

「私も一緒にいます。おばあさんが心配なんです」

一八歳の女子大生は、学生たちだけを逮捕させられない、ここに自分も残るという八二歳の老女に泣きながら言った。すると老女は笑いながら言ったという。

「何を泣いているの。あなたは行きなさい。私はこの老体しかないし、宿題もない。あなたはまた頑張ればいい」

その老女は今回の撤去で警察に逮捕された最高齢者となった。

撤去が進む金鐘の現場は警官隊によって閉鎖され、その外側でデモ参加者たちは集まるしかなかった。雨傘運動にはテーマソングがあった。「撐起雨傘」（傘を掲げよう）という曲だ。雨傘運動が発生した直後、一〇月二日に作られたという。このとき、雨傘の現場に残って、警官に排除されている座り込み組の一人、デニス・ホーも歌っていた。陽《ひ》が沈んだ現場でスマホのライトを掲げながらみんなでこの曲を歌っているが、初期に金鐘の路上いっぱいに集まった参加者によって大合唱になった映像と比べると、何ともしんみりした感じになっていることは否めない。中には涙を流している女性もいた。

現場の空気は、どうにも敗北感が漂っていた。これまで私が記憶していた金鐘の、どこか希望に溢れていたはずの風景が、何ともどす黒い闇のように感じられた。

結局、占拠活動は何ら結果を引き出すことなく、終結してしまったのか。すべては無駄だったのか。

「また、始めればいい」

誰かがそうつぶやいた。雨傘の熱い思いは、一時香港人の胸の奥にしまいこまれることとなった。

2019年7月1日　金鐘の路上でのデモ参加者の集会の様子

第二章
未来のために戦う香港
二〇一九年デモ

日本の国会にあたる香港の立法会。ここに、二〇一九年、七月一日という香港が中国に返還された記念すべき日に、学生を中心としたデモ隊が突入した。彼らは立法会の内部を徹底的に破壊し、逃亡犯条例の審議入りを実力で阻止した。そのショッキングな映像は全世界に伝えられた。この事件がターニングポイントとなり、現在までの香港情勢の混乱は終息する気配がない。彼らは暴徒なのだろうか。

二〇一九年七月一日、香港の風景

香港の七月一日は、市民がどの立場にいるかでまったく違う意味を持つ日だ。一九九七年のこの日は、それまでイギリスの植民地だった香港が、一五五年振りに中国に返還された「記念日」である。親中派にとっては、めでたい祖国復帰の日なのだが、デモ隊の言葉を借りれば、「民主主義を求める戦いが始まった日」「中国共産党に香港が占領された日」でもある。

そうした意味を持つ一日であるため、例年、返還の記念式典も行われるが、同時に民主派の大規模なデモも行われている。日本では、一般人とデモの距離はかなり遠い。しかし、普通選挙が行われない香港において、デモは市民が民意を示す貴重な場として機能している。そのことは「香港人は足で投票する」とも言われる。

だが、この投票はなかなか体力的にきついものがある。七月の香港というのは、とにかく暑い。さらに湿気がすごい。その炎天下に大人数でデモをすることなどは、過酷な状況でかなりの覚悟がいる。それだけ参加のハードルが高いことなので、この日のデモの人数はそのまま民主派を本気で支持する人数だと言える。私はここ数年、このデモを見に香港に行っていたのだが、前年までは盛り上がっているとは言い難かった。

この7・1デモは、香港の民主派活動家たちの見本市の様相を呈している。主催自体は、「民間人権陣線」（略称・民陣）という民主派の団体であるが、この団体は政党ではなく、デモの呼びかけを各民主派団体に行うのみである。ひとまとめに民主派と言うが、統一された団体がある訳でもなく、その主張はまた様々で、いろんな立場の団体が参加している。旧来からの民主派（汎民主派とも呼ばれる。「公民党」「民主党」など）に、香港の未来は香港人が決定すべきという自決派（民主自決派ともいう。「香港衆志」など）、近年台頭してきた本土派（「本土民主前線」「青年新政」「熱血公民」など）、ユニオンジャックをはためかせる帰英派（英連邦への復帰を主張する「香港帰英運動」など）、数年前からマスク姿でゲリラ的に参加している独立を主張する独立派（港独派ともいう。「香港民族党」など）までいる。

他にもぬいぐるみが可愛《かわい》い動物愛護団体から、緑を増やすなど環境問題に取り組む団体、肉食禁止をアピールするビーガンの団体に、反共を強く打ち出すために人民服を着てアピールしている少人数のグループまである。台湾からは台湾民主派の応援が来るし、忘れてはいけないのが、中国本土では禁教とされている法輪功《ほうりんこう》の参加だ。極めつきは、ここのところ大人しいのだが、尖閣《せんかく》諸島に度々上陸している、日本でも有名な「保釣行動委員会」も民主派として、しっかりと参加している。

その上、途中には五星紅旗を掲げた親中派団体が待ち構えていて、カウンターデモをかますのである。デモ隊は軒尼詩道（ヘネシーロード）を通って中環（セントラル）まで行くのだが、香港の政治状況を見渡すつもりならば、なかなか見どころが多い一日だ。

二〇一九年の七月一日、この日も例年通り、大規模デモが呼びかけられていた。香港の目抜き通りである銅鑼湾（コーズウェイベイ）は、日本で言うと、さしずめ銀座だろうか。香港一有名なデパートである「崇光百貨店」があり、近くにはタイムズスクエアと名付けられたショッピングモールもある。大規模デモが行われるときの集合場所となるビクトリアパークへは、この銅鑼湾駅を降りてから、路上に展開する各政治団体のブースを通っていくことになる。そこで各団体が配っているバナーなどを受け取り、ドネーションをして、公園で待機し、メインストリートを通り、金鐘（アドミラルティ）までデモ行進をすることになっている。

すでに六月九日のデモで一〇三万人、六月一六日のデモでは二〇〇万人の参加者を動員して、六月一二日には大規模な警官隊との衝突も発生しているこの年は、前年までとは雰囲気がまったく違っていた。

それは、参加者の熱気かとも思ったが違う。熱い思いだけでなく、かなりの切迫感があるのだ。どの参加者もまなじりを決したような硬い表情だった。それと、マスク姿の人がかなりいるのである。これは、例年にないものだった。

今日は、勇武派になるかもね

金鐘駅は改札を通った瞬間から、一面が反送中のメッセージのチラシだらけになっていた。駅構内で、マスクを配っている二人の少年がいる。これは、この場にいること自体が、のち程違法なデモ参加者として訴追される可能性があるため、参加者に配っているのだ。年齢的に高校生くらいだろうか、取材に応じてくれないか話しかけるが、表情をこわばらせたまま、答えてくれなかった。

入り口の一角は「補給站」として区切られ、様々な物資が並べられていた。その場所に市民たちが次々と物資を持ってくる。ペットボトルや各種飲料、クラッカー、バナナなどの簡単な軽食から、マスク、ラップ、ヘルメットにガスマスク、催涙弾を受けた人の治療のための生理食塩水まで。すでにネットで必要な物資が呼びかけられているようだ。それを仕分けして、必要な人に配るためスタッフが忙しそうだった。

金鐘はデモの終着点となっている場所だ。各政治団体のブースなどもあり、チラシやバナーなどを配っているが、現場の空気はそれどころではなかった。道路はバリケードで塞がれているし、黒ずくめの勇武派がそこかしこにいるのである。覆面をしている参加者さえ珍しくない。ここにいる人々の頭には「立法会突入」の文字があるらしい。緊迫しているのだ。

「ソーリー、ノー・サンキュー」

日本から取材に来た記者だと伝えても、すでに何人も取材を断られた。みな取材どころではない、という感じだ。そもそも写真撮影自体が厳禁という雰囲気がある。参加者にカメラを向けていた男性がデモ隊から囲まれているのも目撃した。

そんな状況の中、茶髪に黒のノースリーブと黒のガウチョパンツという女性二人組に声をかけると、後ろ姿ならばと写真をOKしてもらった。彼女たちはノースリーブの腕にラップを巻いている最中だった。これは、催涙ガスやペッパースプレーから肌を守るためだという。「肌につくと、かなり痛い」のだとか。

今日は前の方に行くのかと聞いてみた。

「一二日も私たちはここに来た。条例を止めるために。もちろん今日も最前線に行く」

きれいに手入れされた美しいネイルは、彼女たちの美意識の高さを物語っていた。聞けば二人とも二〇代で、大学生と会社員なのだとか。六月以来、ずっとデモに参加しているという。特定の政党などのメンバーではないが、政治的スタンスとしては本土派に近いという。逃亡犯条例については、かなり怒っている。

「香港を中国に売り渡すような法律を絶対に可決させない」

「私たちは香港の自由を守らなければならない」

「最後まで香港人は戦う。このことを日本の人たちにも伝えてください」

東京の表参道あたりを歩いていても何ら違和感がない、ハイセンスな二人だ。本来ならば、彼女たちも日本の同世代と同じく、休日のはずのこの日を銅鑼湾のカフェあたりで楽しく過ごしていたのではないだろうか。そんな彼女たちが、黒マスクに黒一色の出で立ちで、覚悟を持って、立法会前の最前線に行くのだ。ネイルが素敵だと褒めると、二人で笑ってくれた。

あなたたちは、勇武派なのか？　私はどうしても聞きたかった。六月九日以来、デモが語れるときに、必ず勇武派という言葉を聞くようになったからだ。デモの最前線で警官隊と武力で渡り合う、黒ずくめの集団のことだ。

彼女たちは、二人で顔を見合わせて「今日は、勇武派になるかもね」と笑った。だが、彼女たちの手に武器らしいものはない。私は、最後に「気をつけてください」と言って別れた。

デモ隊の立法会突入

立法会は、デモ隊の異常な興奮の真《ま》っ只中《ただなか》にあった。すでに立法会前の六車線の夏慤道（ハーコートロード）は封鎖されてバリケードが構築されている。立法会前の国旗掲揚ポールに掲げられている五星紅旗はとうに降ろされ、となりの香港特別行政区旗は半旗状態に、代わりにデモ隊による、同じデザインだが黒い香港特別行政区の旗（黒バウヒニア）が掲げられていた。「香港」「加油」（頑張れ）の掛け声が繰り返される中、立法会の前面の強化ガラスに加速をつけた台車を次々とぶつけていくデモ隊の姿があった。ガシャンという音がするたびに歓声があがる。そのヒビが入った箇所に男たちがハンマーを振りおろす。防弾の強化ガラスでかなり頑丈に作られているものなのだ。ガン、ガンと打ちつけられるハンマーの音に合わせるように、また「香港」「加油」のコールが地鳴りのごとく響き渡る。それはヘルメットにマスク姿で黒ずくめのデモ隊の憤怒がそのまま、立法会にぶつけられているようだった。

　金鐘の駅には黒一色のデモ参加者たちが次々と押し寄せていた。この日は朝から立法会を囲んだ勇武派たちに、警察がすでに催涙弾を発射していた。その攻防が一段落して、デモ隊は立法会を囲み、警官隊は立法会の中庭に押し込められているのだ。囲まれた立法会の中庭にいる警官隊は、その数一〇〇人にも足りないようだが、その数十倍のデモ隊が立法会を囲み、さら

フル装備の勇武の2人組。立法会へ向かっていった

にはこちらに向かっているデモ隊の本隊がいる。柵越しの向こう側に見える警官隊の顔は、フル装備で腰に拳銃をさしていても、かなり不安げに映った。

昼下がりだが、デモ隊の熱気は収まることを知らないようだった。車道のバリケードはどんどん強化され、なおも人は増えていく。最前線の立法会の建物までは、何重にも人垣ができていた。香港の夏特有のムシムシとした空気の中、熱中症だろうか、倒れた若い男が救急隊に介抱されている場面を何度も見た。その場からすぐに伝令が飛んで、赤十字のマークをつけた救急隊が駆けつける。血こそ流れていないが、ここは確かに戦場だ。

張りつめた空気の中、一休みしに駅ビル内にあるマクドナルドに入った。中は黒ずくめの若者たちで満員だった。そういえば、ここは雨傘運動でもデモ隊の食堂となっていた店だった。今回も多くのデモ参加者が、みなマスクを外してハンバーガーを食べていた。外の緊張感と比べると、さすがにリラックスした雰囲気で友人たちと談笑さえしている。その様子は、さながら大学近くにあるファストフード店そのものだ。マスクを外した顔を見ると、若い世代が多いことが分かる。これが参加者たちの素顔なのだろう。そこで働くマクドナルドのスタッフも、いつも通りの接客で満員の客をさばいている様子だ。彼らにとっては、警察が言うような暴徒ではなく、ただの客なのだろう。店内にトラブルなどはない。

と、その店内に、黒の目だし帽に、自作の盾を持ち、フル装備の防具をつけたままの男たちが入ってきた。日本ならば、強盗にしか見えないが、彼らはちゃんと並んで注文をしていた。これは今日これから、最前線に行く出で立ちだ。しかし、そんなフル装備の勇武派の男さえも、マックの客席で目だし帽をずらしてシェイクをすすっている。おそらく、こんな光景は、ここ香港でしか見られないだろう。

デモ隊の本隊はビクトリアパークを次々と出発している。このデモ自体は、例年のごとく警察の許可を受けて行われているものだ。そのため、主催者側の意向により、平和裏に行われることが徹底されている。だからこそ、顔を出してデモに参加している市民も多い。ところが、目的地である金鐘がこうした状況のため、警察からの要請を受けて、目的地をその手前に変更せざるを得なかった。

「香港」「加油」「香港」「加油」

こちらのデモ行進でのスローガンのコールは、立法会前よりテンポがちょっと遅いように感じられた。ハンマーを振りおろす必要がないからだろうか。参加者は老若男女、中には子ども連れや車椅子の人さえいる。だが、それを写真に撮ろうとすると、ここでも周囲から制止される。無理に撮影しようとすると、トラブルになってしまうようだ。

デモは行く先が変更されているため、その分岐点がある。しかし、そこに差しかかると、そのまま金鐘方向に誘導しようとしている一団がいた。黒マスクに黒Tシャツで、明らかに勇武派と思われる雰囲気だ。このまま直進して、金鐘に向かえば、最悪、逮捕のリスクもある、それこそ運命の別れ道なのだが、デモ隊本隊の流れから離脱して、金鐘方面に向かう参加者が次々と出ていた。金鐘方面に行く意思表示をするたびに歓声があがっていた。

「香港人」「加油」

もちろん、ここで離脱した人たちが、そのまま立法会に突入するという訳ではないのだろうが、彼らはこのまま金鐘まで行って、決死の覚悟で立法会に突入しようとしている勇武派を支持することを決めたのだ。

「和理非」の参加者たち

全身黒のコーディネートに黒のプロテクター、黒いマスクに黄色いヘルメット、手には自作の盾を持った勇武派の二人組がいた。座り込んでスマホを凝視していた彼らを、離れたところからじっと見ていた私は目が合ってしまった。恐る恐るあいさつをして、日本から来たジャーナリストだと説明すると、メガネをかけている彼は「サンキュー」と言ってくれた。なんか日本のニンジャみたいだね、と言うと、笑ってくれた。写真は大丈夫かと聞いたら、「ＯＫ」と、意外な返事が返ってきた。これだけ顔を隠していたら、どこの誰とも分からないということなのだろう。私としては願ってもないことだ。だが、その瞬間、相棒が彼にスマホを見せた。彼もそれを見ると、すぐに立ち上がった。やっと写真を撮らせてくれる勇武派が、立ち去ろうとしている。立法会の方に向かう彼に、なんとか一枚だけ撮らせてもらった。これから死地に向かう覚悟を決めている彼に、「グッドラック」と、一言だけしか伝えられなかった。彼は、そのままうねるような「香港」「加油」のコールの波に消えて行った。

今回の逃亡犯条例に反対して抗議活動を行う人たちを一括《ひとくく》りに「デモ隊」と呼ぶが、テレビの映像などで繰り返し登場するヘルメットに黒装束の、最前線で警察と渡り合う勇武派の数は実はそんなに多くはない。デモ隊の圧倒的大多数は「和理非」と呼ばれる一般の参加者だ。和平（平和主義）、理性（理性的行動）、非暴力の頭文字をとって「和理非」である。これは、そのまま雨傘運動の精神でもある。彼らは、デモに参加して自らの立場を示すのだ。六月九日のデモ以来、香港ではその「和理非」の人々が一〇〇万人、二〇〇万人とその意志をデモによって表明したのである。

七四八万人と言われる香港の人口のうちの、四人に一人強が「逃亡犯条例反対」のためにデモに参加したのである。民意の趨勢《すうせい》は明らかだ。だが、そうした香港人の意志が、政府には届かないらしい。まだ行政長官の林鄭月娥（キャリー・ラム）は条例改正を諦めていないようだった。

香港は夏の陽差しのままだが、時計はすでに夕方になろうとしている。残念だが、私のタイムリミットが近づいてきていた。この日の夜に日本に戻らなければならなかった。一方、立法会前のデモ隊の勢いは、まったく衰えることはなく、ますますヒートアップしていた。先程写真を撮らせてくれた彼のような、黒ずくめでガスマスク、ヘルメットに、水泳のビート板（把手《とって》を取り付けて盾代わりにしている）などの防具を持った勇武派たちが次々と立法会の正面に集まっている。突入は時間の問題であるようだ。

空港に向かい、ネット中継を凝視していると、デモ隊は、午後九時過ぎ、ついに立法会の中に突入していったことが分かった。今からでも現場に戻りたい気分だったが、そうする訳にもいかず、そのまま飛行機に搭乗するしかなかった。

死を覚悟したデモ隊

突入の現場にいた参加者の一人は、このときの最前線の雰囲気を後にこう語ってくれた。

「立法会のガラスは普通のガラスではなく、厚い特殊な強化ガラスです。後で聞いたのですが、一枚数百万円するものだそうです。間に特殊フィルムが挟んであり、砕けないようになっていました。なかなか割れず、一ケ所ヒビを入れて大きくしていって、それを広げていく作業になりました。それで何枚か割り続けて、一気に立法会の中に入って行ったのです」

私がその前に見た通り、デモ隊は興奮状態であったと思う。とはいえ、ここまで来ると、明らかに「後戻りができない暴動」だということは、その場にいる誰しもが自覚していたはずだ。さらに、室内のため催涙弾が使えず、警官隊が来たら、すぐに実弾を使うのではとも言われていた。さすがに立法会の中に入るときには、みな緊張したという。

結果、突入したデモ隊が中で見たものは、無人の立法会だった。このとき、中に警官が一人もいなかったのだ。

「ガラスを破壊していたときには、向こう側に警官がいましたが、途中から見かけなくなりました。そのため、これは警察の罠《わな》ではないかと言われていたのです。それでも、みんな次々に中に入って行きましたが」

実は、かくいう私も立法会の中に入ったことがある。このデモ隊の突入の、ちょうど三年前の二〇一六年七月一日である。研究者の方たちと一緒に、民主派の立法会議員に中を案内されたのだ。もちろん、正面入り口から正規の手続きで入って行ったのだが。

香港の立法機関が設立されたのは、植民地時代であるため、当初、香港市民はカヤの外だった。そのため、香港市民との関係は比較的新しい。建物も歴史が感じられるとは言えないが、七四八万人の人口地域の議会と考えるならば、やはりそれなりの威容を誇る。ちなみに人口だけで言うならば、香港は愛知県や埼玉県と同じ規模だ。

しかし、今回、民主主義を求めるデモ隊が、その議会を破壊するということは、一体、どういうことなのか。

「私たちは立法会の権威など認めていません。私たちの民意が反映されるものではないのです。また、二〇一六年の立法会議員選挙では民主派の当選者が次々と資格剝奪されました。それにこのまま議会が開催されると、逃亡犯条例の審議が始まる。だから、破壊したのです」

香港市民にとって立法会とは、自分たちの議会とは言えないという。投票はできても、完全な普通選挙ではないのである。香港における民主派の支持者は、おおよそ六割だと言われている。残りの四割は親中派と、現政権を容認している人たちということだ。そのまま普通に直接選挙をすれば、民主派が過半数を獲得して勝つのであるが、そこに、香港の立法会のカラクリがある。予め職能団体に割り振られた議席と、直接選挙で選ばれる議席の二通りがあり、職能団体からしか出馬できない枠は、親中派ばかりが当選し、結果、民主派が絶対に過半数を取れないような選挙制度となっているのだ。中英共同声明では、立法会においても、早期の直接選挙制の実施をうたっていたのだが、北京政府はそれを反故にしている。つまり、香港立法会とは、民意がわざと正確に反映されないように作られた、言ってしまえば「アリバイのための議会」に過ぎないのだ。

「香港人闘争宣言」

デモ隊による破壊は徹底していた。議場の中央に掲げてある香港特別行政区の区章は黒く塗り潰された。議場内部の壁にもスプレーで落書きが加えられた。「殺人政権」「狗官」「反送中」「撤回」「釈放」「林鄭下台」などに加え、読むにたえないスラングも並んでいた。それぞれの議員の席には議決のための投票装置があるが、それも破壊された。議会事務局の中も徹底的に破壊され、立法会の功労者、過去の行政長官、立法会議長の肖像画も汚損された。このとき、民主派から評価されていた引退した政治家のものは最初免れたのだが、「それは困る」という本人からの連絡があり、歴代の親中派の大物議員たちの写真同様に汚損されたという。

デモ隊は真っ先に防犯カメラや、その映像などを破壊した。後の捜査で参加者の特定を避けるためである。だが、この場で自らマスクを取って素顔を晒《さら》した人物がいた。彼の名前は梁継平（二五歳、当時）という。

彼はその場で、「香港人闘争宣言」という声明を読み上げ、その場で、中と外のデモ隊、香港市民に向けて、アジ演説をぶった。

「香港人闘争宣言」

「親愛なる香港市民へ

二二年前に香港特別行政区が設立されて以来、現在まで香港の政治および経済状況は悪化する一方である。キャリー・ラムの行政長官就任以来、ついにその状況は最悪となった。政府は何百万人もの香港人の意思表示を無視し、逃亡犯条例修正法案（送中法案）を推進しているのである。（中略）

現在の香港政府は、もはや香港人のためのものではない。人々の声を確実に届けるために、我々香港市民は、街頭どころか議会さえも占拠し、政府に対して敵対的な行動を取ることを余儀なくされている。

（中略）我々は武装しておらず、暴力的でもなく、正義をもって勇敢に前進しているだけであり、政府が正しい選択として軌道修正することを望んでいるだけなのだ。

我々、抗議者は政府に以下の五つの要求を訴える。

1　逃亡犯条例改正法案の完全撤回

2　（六月九日と六月一二日の）抗議活動の暴動認定の撤回

3　すべての抗議者に対する刑事告発の撤回

4　警察による権力の濫用についての徹底的な調査

5　行政命令により立法会を解散し、普通選挙を実施すること

「香港反送中法案抗議運動」が始まってから、三人の生命がすでに失われている。我々は悲しみと怒りを忘れず、慈愛をもって、自由、正義、民主主義のためにこれ以上人々が死ぬことを望まない。社会が団結し、専制政治と苛烈な法律と戦い、香港を一緒に守ることを願ってやまない。」（意訳）

この五大要求は、六月一六日以降のデモ隊の最大のスローガンである。さらに彼は、立法会への立て籠もりと、市民の蜂起による立法会の長期占拠を訴えた。

「我々は命の危険を顧みず、ついに立法会に突入した。もしここで撤退したら、明日のテレビでは暴徒と言われるだけだ。奴らは破壊された立法会の内部を映して、我々を暴徒と叱責するに違いない。これからの運動は分断されてはいけない。我々には勝利しか道がない。もし敗北してしまったら、この先一〇年は、我々市民社会にとって反撃のチャンスはなくなる。我々学生が逮捕され、社会はリーダーを失う。だから、今回、我々は絶対に勝利しなければならない。（中略）

もう遊びではない。立法会の占拠はたった一度だけのチャンスだ。もう引き返すことはできない。だから、可能な限り占拠に参加してほしい。それができないのなら、和理非で立法会を包囲してほしい。みんなの身体《からだ》で我々を守ってほしい。（中略）

ひまわり学生運動では、学生の議場占拠に、大人や非暴力運動のリーダー、立法会議員らが出入り口に立って学生を防衛した。だから、我々学生は、まずは余計なことは考える必要はない。我々は充分な人数で、勇気をもって一緒に議場に入るのだ。人が多ければ多い程ここは安全になる。私がマスクを外してみなに伝えたかったのは、我々香港人はもうこれ以上負けることはできないということだ。香港人はもう本当に負けることができない。ここで負けたら（映画の）『十年』となる。考えてほしい、『十年』の世界なのだから。我々の市民社会は完膚無きまでに潰されてしまうだろう。」（意訳）

立法会中庭に取り残された警官隊。この後に撤収したと思われる

梁継平の頭の中には、台湾のひまわり学生運動のことがあり、市民たちが議会周辺を守ることによって、議会占拠を継続し、民主化の要求を貫徹するという計画だったようだ。彼の演説は議場にいるデモ隊には響いていたが、彼の呼びかけ通りには進まなかった。というよりは、進めることができなかった。台湾のひまわり学生運動は、議会に突入した学生たちに味方が多かった。台湾議会の議長などが学生の応援をしていた。台湾の国論を二分していた中で、台湾民主派が完全に学生を支持しており、勝算があったのだ。

一方の香港では、現政権だけでなく、それを指導している北京の中央政府が、学生のこうした行動を絶対に容認しない。台湾と香港では、状況が大きく違うのだ。

なお、彼の演説の最後に出てきた「十年」とは、二〇一五年から一〇年後のデストピア化した香港を描いたオムニバス映画だ。二〇一五年に香港で公開されると、異例の大ヒットを記録した。そこで描かれている一〇年後の香港は、親中派によるテロが横行し、思想統制が進み、広東語《カントン》は禁止され、抗議の焼身自殺が発生している。実際には一〇年を待たず、現実は映画より進んでいるのかも知れない。

香港警察のシナリオ

後述するが、警察が立法会への突入をすんなりと許したのは、どうやら世論を意識した作戦のようでもある。梁継平の呼びかけ通りにはいかず、デモ隊は意見が割れた。
「ここに残れば、警察になぶり殺しにされるのは目に見えている。それでもいいという死を覚悟した『死士』と呼ばれるデモ参加者が四人程いたんです。彼らは、それまで大規模デモの前日などに抗議の自殺をした義士と同じく、香港のために生命を差し出すつもりでした。だけど、デモ参加者の総意として、『みんなで行って、みんなで帰る』と、そう決めていました。『死士』たちは、議場の机などにしがみついて抵抗していました」（当日の参加者）
あくまで立法会に立て籠もりを主張する現場の若者数名は死をも厭《いと》わない覚悟でいた。一方、目的を達成したとして、今回は撤退しようという意見にデモ隊は傾いていた。一つの合い言葉がデモ隊の間で語られていたからだ。

「一齊嚟、一齊走」（一緒に行って、一緒に帰ろう）

今回の運動では「絶対に仲間を見捨てない」というのだ。雨傘運動は抗議者同士の分裂によって、失敗してしまったという反省から、現場に行くデモ隊の間では、この合い言葉が語られ、デモ隊の心を一つにしていた。

実際に、外にいるデモ隊からの情報は切迫していた。

「警察が大人数を揃えている。午前零時をもって、立法会の奪還に動くらしい」

立法会周辺でバリケードを築いていたデモ隊からは「我々は零時までは絶対に持ちこたえる。みんな一緒に撤退しよう」というメッセージが伝えられた。結果、死士たちを無理やり議場から担いで連れ出し、立法会前のデモ隊と合流、午前零時までには、完全に撤退が行われたのだ。

こうしてデモ隊が撤退した後に、警官隊は戻ってきた。しかし、すでに立法会内部にいるのは、マスコミだけで、一人のデモ参加者さえいない。結果、警察はただデモ隊に立法会内部の破壊を許しただけだった。

デモ隊の立法会突入の映像は、ほぼリアルタイムで全世界に発信された。日本でも大きなニュースとなったのはご存じだろう。

だが、どうやらこの騒動、警察側は、デモ隊＝暴徒のイメージ作りのために、あえて突入を許したようである。行政長官のキャリー・ラムもデモ隊の暴力を、ここぞとばかり批判した。

「警察と政府は世論の変化を期待していたのです。デモ隊が立法会に過激な暴力を使って突入したとなれば、民主派の中でも穏健であることを好む和理非の市民たちは離反していくと思っていたのです。だが、今回は、そうはなりませんでした」（香港市民）

警察はデモ隊の立法会突入に合わせて、デモ隊を暴力的だと非難し、立法会周辺のデモ隊にも解散するよう呼びかける声明まで即時に発表した。だが、カメラの前でその声明を発表する警察幹部の腕時計の時間が、デモ隊が突入する数時間前を指していることが、ネット民によって確認されたのだ。つまり、「デモ隊は暴徒」というイメージを作り上げ、それを制圧することによって、世論を自分たちに引き寄せようという、香港警察のシナリオは予め用意されたものだったのである。

警察の姑息《こそく》な手段は空振りに終わり、世論は立法会に突入したデモ隊を引き続き支持し続けることになる。

突入したデモ参加者たちの出国

七月一日のデモ隊は確かに立法会内部を破壊した。彼らは、議会制民主主義の権威を傷つけ、それを否定したのだろうか。確かに、あの映像を見た日本人にとっては、無差別な破壊に映ったであろう。だが、香港人の目には、そうは映っていなかった。

「没有暴徒　只有暴政」（暴徒はいない、暴政があるのみ）

デモ隊は政府の暴政に反抗しているだけだと言うのだ。この言葉の通り、彼らは立法会内部にある香港の歴史に関わる貴重な文化資産や文物には、一切手をつけなかった。さらに、事務局には金品などもあったが、それらを略奪することもなかった。それは徹底されており、議員控え室には、議員のために飲み物が用意されていたのだが、その飲み物を飲んでも、彼らは律儀に代金を置いていったのだ。こうしたところに抗議者としての矜持《きょうじ》があるように見える。

しかし、日本メディアの報道の多くでは「暴徒が立法会に突入」と伝えられてしまった。これは、日本のメディアが政府の公式発表をそのまま垂れ流すような報道をしてしまうことが原因だ。この後、七月一四日には、沙田（シャティン）で、平和的なデモに催涙弾を撃ち込んだ警官隊が、無抵抗な市民たちを追いつめ、商業施設内で暴力を振るうという事件があった。このときもフジテレビなどは、現地の当局発表をそのまま鵜呑《うの》みにして、市民を暴徒と表現した。そうした日本メディアに対して、香港市民は度々抗議を行うようになった。

立法会突入という、二〇一四年の雨傘運動では、民主派の主流が誰も支持をしなかった戦術に対して、逃亡犯条例に反対する香港市民の多くが二〇一九年には支持をしているのだ。市民感情としても、香港の抗議活動が「一線を越えてしまった」のは事実だ。

だが、彼らはその代償を支払うことになった。立法会に突入したデモ参加者が、この翌日から次々と、海外に出国していったのである。梁継平もその一人だ。台湾を経由して留学先であるアメリカに向かったという。

警察が立法会内部に突入した人物たちを特定するのは時間の問題だと考えられていた。その渡航先は台湾やアメリカ、そして、日本だった。彼らが香港に戻れば、暴動罪に問われることは間違いがない。梁継平は、アメリカで政治亡命者となるのだろうか。

日本で、そうした出国組に話を聞いた。当日のデモの現場に参加して、一週間程後に日本にやって来たという。

「当日は、最前線で立法会の中に入って行きました。それから数日後、自宅の方に警察官がやって来ているとの話があり、そのまま日本に来ました。私が悪いことをしたとは思っていないが、今はまだ逮捕されるのはイヤだ。心は香港にあるが、とりあえず、台湾に向かう」

逮捕の危険を感じた彼は知人を頼ってひとまず来日して、もっと香港人活動家へのサポート体制が整っている台湾に渡るという。香港のために生命を賭けながら、これで彼らは香港には帰れなくなったのだ。

本土派たちの躍進

実は、梁継平の名前には、うっすらとだが記憶があった。彼は香港大学在学中の二〇一四年二月に香港大学の学生の機関誌「学苑」の編集長として「香港民族　命運自決」という本土派に関する特集を組んでいたのだ。雨傘運動が終息して二〇一五年になり、梁振英《りょうしんえい》行政長官が、この特集を名指しで「香港独立を煽《あお》る危険な思想」と批判している。梁継平は、雨傘運動発生の半年以上前から本土派の熱心な信奉者であったのである。

ここで語られている本土派とは、その主張も幅広いのだが、ごく簡単に説明すると「香港人の本土は、中国大陸ではなく、ここ香港である」「香港人は中華民族ではなく、香港民族である」「香港の民主化と中国大陸の民主化は無関係」「民主化実現のためには、香港は独立も辞さない」などの主張を持つ、多分に民族主義的な傾向がある「民主派」である。雨傘運動の数年前あたりから目立っていた水客への抗議デモ（といっても、その実態は排外主義的でヘイトスピーチに近い）などを行うことすらあった。

この本土派支持者は、香港中文大学の調査によると、二〇一六年で八・四％に上っている。ちなみに、穏健な民主派は三一・九％である。本土派は一〇代から二〇代の若者に支持者が多い。雨傘運動のときは、学連などのリーダーたちは、いわゆる穏健な民主派と考えられており、本土派はそれに反発するように旺角（モンコック）などで活動していた。雨傘運動の末期、突発的に立法会突入を企てたのも、本土派の若者たちであったと言われている。この雨傘運動時の立法会突入作戦は、まったく市民の支持を得られずに終わった。だが、二〇一九年は、おおかたの市民が立法会突入を支持しているのである。香港の新聞「明報」の世論調査では、立法会突入後でも、六七・七％が「警察の暴力は過剰」と回答し、「デモ隊側の暴力は過剰」は三九・五％でしかない。香港の新聞は親中派、民主派とそれぞれ党派性が強いものが多い。その中で、中立紙と言われている「明報」の世論調査によって、市民が心情的にデモ隊を支持していることを証明したのだ。

二〇一六年の7・1デモ　本土派の戦略の原点

立法会突入は私にとってもショックな出来事だった。香港の若者はまさに「ルビコン河を渡った」のである。さすがに、ここまでの事態は想像できていなかった。本土派については、雨傘運動以降、学生を中心に急激に支持を伸ばしてきたことは認識していたが、香港全体を動かす力があるとは思えなかった。正直、一部の学生の過激な思想どまりだと思っていた。実は、私はかつて彼らを取材したことがある。

それは二〇一六年の七月一日、この年の7・1デモを取材したときのことだ。民主派と本土派の埋めることができない溝を実感した。

二〇一六年の7・1デモは、主催者発表一一万人だが、警察発表は二万人を切っていた。ただ、その内容はその二年前の雨傘運動の盛り上がりからは、想像できない雰囲気だった。午後三時にスタートしたデモは、雨傘運動のシンボルだった黄色い傘などはきわめて少なく、それぞれの党派のテーマカラーが強調されていて、薄青やミントブルーなど、脱雨傘カラーだった。イギリス国旗のユニオンジャックや、香港独立旗と呼ばれる、英国植民地時代の旗なども目立った。

これらは、香港返還から遡り、イギリス復帰や香港独立などの主張を表しているようだ。こうした新しい勢力は、ひとまとめに「本土派」と呼ばれていた。旧来の民主派の枠組みから飛び出した、若い世代を中心に台頭してきている「多少は」過激な主張をしている新勢力で、その影響も限定的ではないかと、当時は理解していた。

劉慧卿民主党代表と面会

この日、香港政治が専門の立教大学・倉田徹教授のご厚意で、劉慧卿（エミリー・ラウ）民主党主席（当時）との面会に参加させてもらった。劉氏は自ら香港立法会内部の議場などを案内し、その後、取材に応じた。野党民主党を率いる彼女は、記者の経歴から政界入りした、立法会における民主派の顔だ。流暢《りゅうちょう》な英語で現在の香港の現状をこう語ってくれた。

「現在、香港は九七年の返還以降、最悪の状況です。雨傘運動が潰されてから、希望を失った人、事態を傍観するしかない人、そして、過激な独立派になる人たちも出てきた。こうした状況は香港市民を不幸にしている。

特に若者たちは独立を叫んでいる。彼らは一国二制度が機能していないのを目の当たりにした。このまま一国一制度になるのは嫌だ。では、他に何の選択肢がある？　じゃあ独立だ！　となっている。彼らは心の奥底では、それが不可能なことくらいは知っている。ただ、現実的な選択肢から目を背けているだけなのです」

香港の独立を叫ぶ新たな勢力、本土派、独立派が、若い世代を中心に支持を集め、民主派の中から台頭してきていることを、このとき、劉氏自身が強烈に意識していたのだ。

「私の両親は、一九四八年に中国本土から香港に逃れてきた世代。ずっとその両親に言われていた。『中国本土にも共産党を支持しない人がたくさんいる。お前（たち世代）は香港の自由を維持しなくてはならない』と。だから私は戦い続けて来た」

こう語る劉氏は、この年、九月に行われる香港の立法会議員選挙には不出馬を表明していた。六四歳（当時）という年齢での引退はまだ早い印象なのだが、後進を育てるためのようだ。

「このままでは中国の二一世紀は暗く、何もないものになります」

劉氏のこうした発言から垣間《かいま》見える通り、劉氏は「香港の民主化運動はやがては中国大陸にも波及していき、それが実現したときに、香港の真の民主化も達成される」という、中国大陸を視野に入れた民主化運動を、これまでずっと展開してきていた。劉氏のアイデンティティは中国大陸にあり、中華民族としての誇りの上に、民主化運動を戦ってきた。これは、旧来の民主派に共通する意識である。劉氏の議員としての引退は、彼女自身が北京政府、習近平《シージンピン》に完全に失望したからなのかも知れない。

一方、本土派と呼ばれる勢力は「中国大陸のことなど最初から関係ない」のである。二〇一六年、香港で行われた天安門事件の追悼集会では、学生たちは独自の集会を行い、本土派の若者たちに至っては民主派の集会の妨害行為さえ行った。本土派は、その敵を親中派というよりも、民主派とすら思っているようでもある。天安門追悼集会だけでなく、民主派とはことごとく対決姿勢を取っている。

本土派の代表格である、「本土民主前線」は、この7・1デモに不参加だった。同じく本土派の「青年新政」は、デモには不参加だが、沿道のブースではマイクでアピールをして、寄付を募っていた。この二つは、区議会議員選挙、立法議会補欠選挙で健闘していたことで、九月の選挙の台風の目として注目を集めていた。

本土派たちの危険な呼びかけ

本土派は、言葉だけではなく、実力行使も行っていた。二〇一六年の二月八日（旧正月）に、旺角で警察を相手に騒乱を起こしたのである。この騒乱は「魚蛋革命」（フィッシュボール・レボリューション）と、本土派とその支持者は呼称していたが、一般的には「旺角騒乱」と呼ばれた。これは、香港の繁華街・旺角の旧正月の風物詩でもある魚蛋（つみれ）の屋台の取り締まりをめぐる警察とのトラブルが、ネットでの呼びかけで集まった若者たちによって、投石、放火なども伴う、街頭での激しい暴動に発展した。このとき、警察は威嚇のために実弾を空に向かって二発発射した。これは雨傘運動でもなかったことだ。

誰もが見知った旺角のメインストリートで、放火を繰り返し、警察とやりあった。彼らが暴力を使うことをためらわないことを、改めて示したのだ。そんな彼らが、この7・1デモの後に、不気味な抗議行動を起こそうとしていた。

夜七時から、中連弁（中央人民政府駐香港特別行政区連絡弁公室。つまり、中国政府による出先機関）前での抗議活動を行うことを発表したのである。ネットでの呼びかけは「黒ずくめの服装で来ること」「乗車記録が残るＩＣ乗車券は使わずに来る」「覆面ができるようにする」などの不穏なものであった。すでに、二〇一九年の「ブラックブロック」とも呼ばれる覆面、黒ずくめの反送中デモの抗議形態を意識していたのだ。

場所は北京政府の出先機関である。もし、ここで何らかの武力衝突が発生すれば、香港警察のメンツは潰れる。当日となり、道路が封鎖され、警官が中連弁の建物を取り囲み、不審な若者に対しては容赦ない職務質問がなされていた。早々に集まっていた若者六人が逮捕された。容疑はハサミなどの危険物を持っていたという微罪逮捕だ。

結局、この晩は私を含むマスコミの数が、抗議に集まるはずであった本土派を大きく上回るという状況だった。私が見た限りでは、彼らはどこにも現れず、本土派のある団体の幹部が警察署へ不当逮捕の抗議をしただけで終わった。主催者側は「参加者の安全に配慮した」と、その中止理由を語った。だが、これは警察に封じ込められたというより、何の戦略もなく、場当たり的に混乱だけを起こそうとしていた結果のようにしか見えなかった。彼らの行動原理には、稚拙な印象しか持てなかった。

だが、その場当たり的な呼びかけにも、ある武器が存在した。インスタグラムである。インスタは、新しいソーシャルメディアとして、この時期、香港の若者の間にも急速に普及した。当時は画像がメインということで、検索方法も従来のSNSと違った。SNSと言えばツイッターやフェイスブック、という認識の香港警察の裏をかけたのである。

結局、この二〇一六年の呼びかけは不発に終わったのだが、新しく進歩したネット社会と、リーダーなき抗議形態は、二〇一九年、大きく社会を動かすことになる。

本土派の言い分

翌日、新しく結成された若者を中心にした本土派の政党「青年新政」にボランティアスタッフとして参加している大学院生に話を聞けた。

「雨傘運動は完全な失敗です。その失敗の原因は、民主派の既成政党や、『学連』『学民思潮』などの運動の指導者たちの責任です。あれだけの人間を動かしておきながら、何の譲歩も政府から引き出せなかった」

七九日間の占拠に何ら成果がなかったことで、彼は雨傘運動のすべてを否定しているように思えた。また二月の旺角の事件については、暴動を起こした側の正当性を主張していた。

「そもそも、あそこまでエスカレートさせたのは、警察が暴力を使うからだ。だから、私たちも対抗せざるを得ない」

やはり本土派は「暴力」を肯定するのだろうか？

「私たちは暴力（バイオレンス）とは思わない。それは武力（フォース）だ。警察は抗議者に向かって『武力で鎮圧する』と言う。合法な暴力として武力という言葉を使っている。私たちも同じだから、警察に対抗するには、武力しかない」

何やら、こじつけの言葉遊びのような気がするのだが。非暴力を掲げて、警官隊の警棒や催涙弾にも両手をあげて無抵抗の姿勢を示していた雨傘運動。その理念とは本土派が大きく異なることだけは確かだ。

「そもそも中国人とは相いれることができない」

彼らのことを、香港に来て買い物をするだけの「蝗《いなご》」だと言う。これは大陸側からの観光に来た買い物客や水客という運び屋に対しての、差別的な表現だ。そうした言葉も自然と口をついて出てくる。また、香港には、毎日平均一〇〇人以上が大陸から移住してきている。そうした「新移民」にも、批判の矛先は向けられ、時に排外主義的な態度も見られる。そして、香港人アイデンティティについて饒舌に語る。

「我々、香港人は自分たちを中国人だとは思っていない」

旧来の民主派（汎民主派）と一線を画すのが、この本土派に共通する認識だ。前日の昼に面会した劉党首席のような、大陸との連帯意識など、彼らはまったく考えていないのである。この大学院生に、昨日、劉氏と面会したことを伝えてみた。

「エミリー・ラウ？　あんな奴らのおかげで、香港の民主化が進まなかった。香港の民主化を阻害しているのは、民主派の奴らだ」

本来の敵であるはずの親中派に対してより、その批判の先は、近親憎悪的に民主派に激しく

2016年の7・1デモの現場の本土派政党「青年新政」の游蕙禎

向けられる。さらに雨傘運動で同世代であるはずの、ジョシュア・ウォン、周庭（アグネス・チョウ）、周永康（アレックス・チョウ）などももれなく批判の対象だった。

彼がスタッフとして参加している「青年新政」では、当時游蕙禎《ゆうけいてい》という二〇一六年秋の立法会議員選挙の女性候補が注目を浴びている。彼女は、それまで政治活動の経験がなく、雨傘運動に参加して初めて政治に目覚めた。彼女のような運動参加者は「傘兵」（雨傘運動をきっかけに、民主活動家となった参加者たちの総称）として、雨傘運動後に新しい政治団体を結成したり、選挙に出馬したりと、その去就が世間から注目されていた。

大学院生の彼が繰り返し語る「香港人は中国人とは違う」という点には、大きな意味がある。

汎民主派の主張の根底には、大中華主義がある。自らは中国人という意識で、中国全体を考えた民主化運動なのである。前述の「保釣行動委員会」は、日本の占領時代についての責任もずっと追及している。それは、彼らが中国人アイデンティティの上に活動しているからだ。北京政府が日中関係を考慮して、大人しくしているときでさえ、南京事件について容赦なく日本に抗議する。雨傘運動の末期、一二月八日に太平洋戦争の開戦の日を迎えたのだが、銅鑼湾の占拠現場で彼らは、日本批判の展示を行っていた。

一方の、游蕙禎は、インタビューで中国に対抗することを念頭に「日本は憲法を改正して軍備を強化すべき」とさえ発言している。そのため、日本の右派の受けが非常にいい。さらに、大学生時代、同人誌にBL（ボーイズラブ）小説を発表したこともあり、日本文化が好きな女子でもある。そのルックスも相まって、彼女に日本のメディアも注目していた。

見てきたように、本土派とは、現政権に対しては対決姿勢を取っており、民主主義を標榜《ひょうぼう》するのだが、民族主義的で、排外的行動を取り、武力を行使し、場合によっては、外国勢力にさえ助けを求めるのだ。すべては、雨傘運動への失望から始まった流れなのである。

本土派が排除された議会

こうした主張の本土派の勃興は、そのまま学生たちの支持が、民主派から、より過激な本土派に移っていったことに他ならない。それは投票結果になって表れた。二〇一六年九月に行われた、雨傘運動以後、初めての立法会議員選挙は、五八・二八％もの史上最多の投票率だったのである。結果は、親中派が三議席減らしての四〇議席、民主派も同じく三議席減らした二四議席だった。残りの六議席は、本土派・自決派などの新しい勢力が手に入れたのだ。定数七〇の立法会で、親中派勢力は安定多数であることは間違いない。ただ、前述の通り、親中派が有利に当選する制限選挙であっても、民意は確実に政府から離れているのである。

実は、この立法会議員選挙、すでに立候補すらできない存在がいた。二〇一九年の香港デモで再び注目を浴びている本土派の梁天琦（エドワード・レオン）である。一六年二月の立法会の補欠選挙では、当初、泡沫《ほうまつ》候補扱いだった彼は、予想に反して六万票以上の票を集め、落選したものの第三位の得票数となった。同年九月の立法会議員選挙では、事前調査で当選圏内であると見られていた梁天琦だったが、それに香港政府が待ったをかけたのだった。香港独立の主張は、香港基本法を遵守していないとして、梁天琦の出馬資格を取り消したのだ。これは、北京からの指示があったものと言われている。

選挙結果は、北京政府としては面白いものではない。本土派と自決派が六議席も獲得してしまっているのだ。ここで、当選した新たな立法会議員たちにＤＱ（資格剝奪）の嵐が吹き荒れることになる。まず的になったのは、本土派である「青年新政」の游蕙禎などであった。立法会議員としての宣誓でチャイナを「支那（シナ）」と発音したのだ。議員の宣誓を認められず、彼らは議員資格を失った。同じような理由で、自決派である「香港衆志」の羅冠聡（ネイサン・ロー）も結局、議席を奪われることになった。結果、新しい当選者の中から六人もの議員が議員資格を剝奪された。

なお、自決派とは、民主自決派とも言い、二〇四七年の一国二制度の期限以後の香港のことは、香港人が自ら決める、という主張をしている。香港独立については「その選択肢を否定しない」とするに止《とど》めている。香港政府は、この点を指摘して、独立志向としているのだ。だが、香港衆志の主要メンバーは雨傘運動の中枢にいた。香港衆志は、そのため活動も穏健であり、本土派の政党とは、その性格を異にすることは明らかだ。本土派が民族主義ならば、周庭たちの香港衆志はリベラルである。民主主義の実現を目指すという点では、汎民主派と一致しており、実際に、前述のエミリー・ラウと周庭は7・1デモのときも、親しげであった。日本では、安全保障関連法案などに反対した学生団体シールズとも交流があった。

資格剝奪された議員たちは、裁判で争ったのだが、次々と敗訴して処分が確定していった。さらに、その補欠選挙では、野党統一候補などを立てたにもかかわらず、民主派は敗北してしまったのである。一八年の三月に行われたDQ議員の補欠選挙では、羅冠聡の後を受けて、日本でも有名な周庭が出馬する意向を見せていたが、彼女も出馬が認められなかった。結局、この補選では最初から本土派が出馬できないために、若い層の投票率が伸びずに、本来ならば六割の票が獲得できるはずの小選挙区で民主派の統一候補は敗北を喫した。

雨傘運動以降の香港は、こうして、次々と希望を奪われていったのだ。結果、残ったのは無力感だけ。この頃の香港市民の雰囲気はこう言い表されていた。

この補欠選挙の取材に現地入りしていた私は、香港市民がついに「自由・民主」を諦めてしまったのかと、選挙結果が確定した瞬間、しばし呆然《ぼうぜん》となった。

実は、このときの取材のメインは、「雨傘の女神」こと、周庭だった。補選の前の一二月により立候補可能な年齢に達した彼女は、圧倒的な知名度をもって出馬表明したのだが、すぐに政府により立候補資格を剝奪されたのだ。政府は自決派である香港衆志の綱領を、独立派と見なしていたのである。それでも、周庭は、自らは出馬できなくなった選挙の応援を精力的にこなしていた。選挙期間中にずっと忙しくしていた彼女に、選挙結果が確定した後、インタビューをすることができた。さすがの彼女も弱音を吐くのかと思ったら、違った。

「議員を出すだけが政党の活動ではないはずです。はっきりしているのは、私たちはこれからも香港のために運動を続けるということです」

当選しても取り消され、出馬さえも認められず、この後、政党としてさえ認められなくなった香港衆志と周庭。逆境が続くが、その言葉通り、彼女は、この後も決して諦めなかった。

2020年1月5日　上水のデモ。警察は若者を中心に逮捕を行う

第三章
デモの主力・学生たちの戦い

デモ隊は暴力学生なのか

その夜、目の前で起こったことは、かなりショッキングな出来事だった。

八月五日の夜だった。旺角（モンコック）のシティバンク前の交差点は、雨傘運動のときもデモ隊によって占拠されていた場所だ。この日、昼間のゼネストの呼びかけから大規模デモに発展し、なし崩し的に彌敦道（ネイザンロード）などの道路占拠を行う形となった勇武派たちは、黒い塊となって道路を埋めつくしていた。みな、黒ずくめでマスクにヘルメットをつけている。

旺角という場所は、香港島にある銅鑼湾（コーズウェイベイ）などと比べると、かなり庶民的である。表通りこそ、銀行やショッピングビル、ブランドショップ、貴金属店などが並び、おしゃれでもあるのだが、一本入ったところには、風俗街のような場所もあり、さながら、歌舞伎町を抱える新宿のようなイメージだ。そんな場所柄、雨傘運動当時、旺角をオキュパイしたデモ隊は、地元の黒社会の人間との折り合いが悪かった。「商売のジャマだ」という訳だ。それに親中派へのシンパシーも関係しているのか、ときおり、占拠者のテントは襲撃を受けていた。

そんな場所柄のため、旺角の住民たちは、デモ隊に対して、あまりいい感情を持っていない人もいる。年のころ、二〇代後半くらいだろうか、金髪で短髪のパーマ頭に、サンダル履きで、短パンTシャツというラフな格好の彼は、集まっているデモ隊に何やら、怒鳴り散らしていた。

相手は、これから警察と一戦交えようというデモ隊たちである。いきり立っているところに、そんな挑発をして、大丈夫なのかと思っていたら、どちらが先に手を出したのか分からないが、すぐに、彼は連れの友人と一緒にデモ隊に囲まれて、袋叩《ふくろだた》きにあってしまった。

袋叩きの輪の外にいる他の勇武たちは止めるのかと思ったら、そのまま傘を広げて、デモ隊による暴行現場を私たちマスコミから見えないように隠している。私は、思わず「ストップ、ストップ」と声を出したが、ひとしきりやられて、仲裁に入った人間がデモ隊を引きはがすまで暴行は続いた。街のあんちゃん風の彼は、一対一なら負けないはずのヒョロっとした学生たちと思われるデモ隊にいいようにやられていた。数十秒間ではあるのだが、殴る蹴るの暴行を受けたのは、紛れもない事実だ。救急ボランティアが駆け寄って、倒れている彼の連れを介抱していた。

引き離されても、なお文句を言っている彼。デモ隊は他の人間に促されて、その場を離れていった。残念ながら、このときは通訳がおらず、会話の内容までは分からなかったが、おそらく雨傘運動以来の「俺のところで迷惑なことをするな」などのクレームだろう。

口論の原因は不明ではあるが、大人数での暴力は、見ていてさすがに気分がよくなかった。

雨傘運動の頃は、こうした外野からの野次に対しては、デモ隊側がみんなで「ハッピーバースデー・トゥー・ユー」を歌って、相手を煙《けむ》に巻くような余裕があったのだ。少なくともデモ隊側が暴力を使うことはありえなかった。

だが、一方で、この時期、警察の暴力が苛烈になってきたのも事実だ。催涙弾は、際限なく撃ち続けられ、デモ隊めがけての水平撃ちが当たり前になった。当然、怪我人も続出した。デモ隊を拘束する場合、警棒で殴りつけて頭を割るなど、衝突の現場で血が流れることも珍しくなった。そんな警察の暴力に対し、まさにこれから立ち向かおうとしている勇武たちは、それぞれ戦意を鼓舞しているのである。そこに、ちょっかいをかけてくるとは、それこそ自殺行為なのかも知れないのだが。

私が感じる違和感に対して、勇武派支持の側からすると、「警察はもっと酷い暴力を使う。それはどうなんだ」との反論があるだろう。だが、そうしたことは頭では理解しても、「学生運動の過激な暴力化によって、一般市民からの支持を失う」という日本の学生運動が消滅した歴史を間接的ではあるが知っている私としては、香港の学生たちのこうした暴力が、この先どういう方向に向かうのか、やはり気が気ではない。

デモが続き、傷ついていく香港

警官隊と対峙するときの暴力は、前章の通り、勇武派の言葉を借りれば武力なのかも知れな

2019年8月5日　尖沙咀の路上にバリケードを築く勇武（中村康伸撮影）

い。だが、香港の街はデモのたびに傷ついていっている。ネイザンロードでは、歩道と車道を分ける鉄柵がほとんどなくなってしまった。これは、大規模なデモのたびに、ドライバーで鉄柵を外したデモ隊が、結束バンドを使って器用にバリケードに作り替えてしまったためだ。

また、香港の繁華街の歩道は、ほとんどがレンガなどの石畳であったのだが、デモでバリケードを作ると、歩道の敷石は掘り返され、砕かれ、投石用の礫《つぶて》となる。それが補修されると、今度は無機質なコンクリートで埋められることになり、趣も何もなくなる。

公共物などにはスプレーで落書きもされるようになった。「香港加油」などのポジティブな言葉だけでなく、中には見るに堪えないスラングもある。結果、大規模なデモが何度か繰り返され、街の風景がだんだんと変わっていってしまった。

街からは、次第にバリケードになるものがなくなる。するとデモ隊は、近くにあるゴミなどを集める。道の真ん中にゴミを並べると、デモ隊はそれに火をつける。着火剤と思われるものを振りかけて、ガスバーナーで火をつけるので、ゴミとはいえ、一瞬で炎があがる。炎のバリケードという訳だ。この炎は何も周囲の建物などを燃やすためのものではない。発見した警官隊は、消火しながら進むので、足止めするためのものである。

ちなみに、ガスバーナーと書いたが、デモ隊が使うのは、代替品だ。機械油のスプレーにライターで火をつけ、ガスバーナー替わりにしているのだ。どうやら、ガスバーナーはさすがに手に入らないらしい。こうした火気を、デモ隊は総じて「火の魔法」と呼称するのだが、八月に入って、火炎瓶なども現場でよく使われるようになった。

香港の路上で黒い染みになっているのは、そうしたデモ隊による抵抗、火の魔法による焼け跡だ。これらのデモ以前に、観光などで香港を訪れたことがある人にとっては、現在の街並みを歩くと、その傷跡の数々に驚くことになるだろう。

デモ隊は、同時に信号機なども破壊する。ゼネストなどで交通を遮断する目的のためだ。信号がなくなり、警察官の手信号になるかと思いきや、警察も人手が足りないのか、ほとんど、信号無しの交差点となってしまう。そのため、香港の街はお互いにゆずりあう自動車同士となっていた。それまでは、運転が荒いことで有名な街だったのだが。一方の警察は駐車違反などを取り締まる余裕がなくなり、街には駐車違反の車が溢れるようになった。

地下鉄、飲食店、銀行などの破壊行為

八月下旬に入ると、香港の地下鉄「MTR」が警察の命令により、デモ発生時の早期運転切り上げ、デモ発生地点の駅の閉鎖などを行うようになった。それまでは、デモ隊に対して好意的ですらあり、車内放送で「香港加油」とアナウンスされることもあったMTRは、ついにデモ隊から、破壊の対象となってしまった。

エレベーターが壊され、入り口には火も放たれた。駅構内に入った勇武たちは、券売機や自動改札の「オクトパス」カード（交通系ICカード）の認識装置などの破壊も行った。駅構内にはスプレーで「党鉄」（共産党の鉄道）というような落書きがされ、後述するが、八月末には地下鉄駅構内で大事件も起きた。

デモ隊の破壊は、路面の店舗にも向けられるようになった。香港の財界は、親中派が多数を占めている。多くの財界人が中国大陸での商売を重要視しているからだ。そうした財界人の中には、六月以来のデモを批判する者もいた。香港や中国で広く飲食店を経営している美心食品（マキシム）グループの創業者の娘である伍淑清（アニー・ウー）もその一人だった。「政府と警

察の強硬姿勢は支持されていい」「学生は洗脳されている」などと、政府、警察支持を明言したのである。

そうした発言を受けて、美心食品グループの飲食店は、デモ隊から「改修」（リフォーム）を受けることになった。「スターバックス」や、「元気寿司」という日本でもおなじみのチェーン店がデモ隊によって破壊されたのである。また、香港で多くの店舗をフランチャイズ展開する牛丼の「吉野家」も現地法人のトップがデモを批判したことが原因で、破壊の対象となっていた。香港の「吉野家」は、周囲を厚い板で囲われて、さながら要塞のような雰囲気の中で営業をしている。デモ支持者は、デモが始まった時期から、これらの店舗を利用することがなくなり、この後、各店舗は閑散とするようになった。

八月に入って、大陸系の銀行、金融機関、携帯会社、通信機器のメーカーなどが、デモ隊の抗議の標的とされた。ガラスは割られ、スプレーで落書きがされるのだ。週末にデモが行われた翌日の香港の街では、破壊された店舗のガラス片が、敷石が剝がされた歩道の上にキラキラと散乱するという風景が繰り返されるようになってしまった。

雨傘は兄が戦った。今度は、ぼくの番だ

デモ隊側は隠語が好きである。ネットではあくまで「夢の中」で参加を呼びかけるし、火炎瓶は「火の魔法」だと言う。デモ支持派の店などの利用を呼びかけるときには「懲罰」だと言うのだ。逆に、親中派企業などへの破壊行為は「改修」と言われる。

九月に入ってからの、抗議デモでは、地下鉄駅、中国系金融機関、警察支持の会社が経営する店舗などの、デモ隊による過度な「改修」が目立つようになった。夜中までデモを取材していると、まさに破壊を行う、その現場を目撃することも珍しくなかった。そうしたとき、前述の通り周囲にいる勇武の仲間が傘を開いて、監視カメラやマスコミの目から隠すようにしているので、カメラを向けるが無理には撮らない。このときばかりは、相手の反応が読めないので、躊躇《ちゅうちょ》してしまう。「旺角のあんちゃん」みたいにはなりたくない。

九月八日のデモは深夜に入り、また香港各地での激しいデモとなった。九龍《クーロン》半島のネイザンロードは封鎖され、佐敦（ジョーダン）から旺角、太子（プリンス・エドワード）までのメインストリートが、さながらデモ隊の解放区となっていた。

こうしたとき、勇武派は小規模な五～六人のグループで行動する。道の真ん中に座り込んで休憩しているグループがいた。いつ警察が来てもおかしくない状況なので、声をかけても無視されるかと思ったが、彼らは「日本」から来た私に反応してくれて、その中の大学生の男の子がインタビューに答えてくれた。

「雨傘運動のときはまだ中学生。どういう意味を持つものなのか、よく分からなかった。でも、当時、大学生の兄が現場に通っていて、熱心な参加者だった。それから進学して、自分も香港のことを考えるようになって、あのとき、兄は香港の未来のために戦っていたんだと、気がついた」

一緒に住む両親は彼の活動を黙認状態だという。だが、この五年間で彼の家族はいろいろ変わったようだ。

「現在、兄は結婚して、子どももできた。仕事を始めるとなかなか運動の前線に出てこれない。だから、今度はぼくの番だと思っている。兄も応援してくれている。五年前の兄みたいに、こうしてぼくは前線に出てきている」

デモが発生した六月以降、彼はデモの最前線に立つ勇武となった。黒ずくめの格好にヘルメット、ガスマスクと勇武派そのものの格好であるが、口調とゴーグルの奥の瞳は幼い印象だ。彼らは商店のガラスを破壊した金属の棒と落書き用のスプレーを隠そうともしない。思わず聞いてしまった。これはあなたの兄が参加した雨傘運動とはかなり違う、平和とは言えない破壊活動ではないのか。彼に疑問をぶつけた。

「これは破壊活動ではない、あくまで政府への抗議の手段だ。抗議活動は、平和的にやっても意味がないことは、兄たちの雨傘運動で明らかになった」

七九日間、占拠を続けた雨傘運動は何の成果も残せなかった。今回のデモが始まり、二〇〇万人のデモでさえ、政府は無視を決め込んだ。七月一日、デモ隊が突入した立法会の壁には「平和的なデモは意味がないと、あなたたちが教えてくれた」とあった。雨傘運動から学んだ、彼らの結論なのだろう。

——こうした破壊をして、今どんな気持ちか？

「こんなことはしたくない。でも、自分たちの未来のためだ」

そう話しながら、彼は少し間を置いて、こう言い切った。

「こんなことをしても変わらないなどと言う人もいるが、やらずに後悔はしたくない」

——勇武としての活動は、ずっと続けるのか？

「逮捕されるまでは絶対に続ける」

彼は、そう断言した。彼の決意に衝撃を受けた。「香港独立」でも「五大要求貫徹」でもなく、彼のゴールは、強制終了である「逮捕」なのだ。その結果、暴動罪に問われたら、最高で一〇年間の禁錮刑となってしまうことも理解しての言葉だ。

「逮捕されることは問題ではない」

わずか一八歳の少年が自分たちの未来を、自らの自由と引き換える固い決意をもって、自らの手で変えようとしている。一瞬、彼が警官に取り押さえられて逮捕される映像が浮かんでしまい、涙が出そうになった。

ひと通り、話を聞いてから、日本から持ってきた期間限定の「コアラのマーチ」をプレゼントした。香港でも人気の日本のお菓子だ。

「ありがとう」

彼と彼の仲間たちが微笑《ほほえ》んだ。

デモの真っ最中に声をかける取材は、拒絶されることも多いのだが、勇武がここまで話をしてくれたのは、正直ありがたい。聞きたいことは山程ある。

みんな、どんな繋がりなんだろうか?

和んだときに聞きたいと思っていた質問だったが、デモ隊の事情にも詳しい通訳からは「それは聞いてはダメな質問です」と、注意され、「絶対に言いませんし、それを聞いたら、警察ではないかと疑われかねないですよ」とたしなめられた。チームで動いている彼ら勇武は、学校の仲間であっても、テレグラムで連絡を取り、万が一逮捕されても、他の参加者たちの情報は一切出さないことを誓っているのだ。

他のメンバーがスマホを見て、何か話し始めた。どうやら次の動きに移るようだ。それは、破壊なのか、警察との激突なのか。休憩は終わりだ。そんな彼らに対して、私は、こうしか言えなかった。

「みんな、絶対に怪我をしないように、気をつけてください」

この言葉は、通訳が伝えてくれたようだ。

黙ってしまった少年たち

警官隊と正面からぶつかりあう、それこそ名の知れた精鋭の勇武のグループだと、デモ参加者から尊敬される存在だという。警察の中のデモ対策の精鋭チームである「速龍小隊」に対して、勇武の側には「屠龍小隊」という精鋭チームがいる。常に警察との衝突の最前線で一歩も引かない活躍をする。撤退時には、一般のデモ隊を逃がすために殿《しんがり》を務める。市民たちの支持も厚い。デモに参加する一〇代前半の少年たちにとっては、こうした勇武は憧れでもあるようだ。

彼ら三人と会ったのは、デモの夜だった。だが、彼らがいたのはバリケードのかなり後方で、勇武たちが交通を遮断した車道の中にいた。歩道で見ている訳ではないので、野次馬ではない。デモ参加者という訳だ。顔も隠していない彼らは、どこか、この場で浮いている感じがして、話しかけてみた。中学の四年生だという。

「逃亡犯条例は、絶対に許せない」

このときは条例案が撤回前だったこともあり、そうした政府への憤りから、この現場に来たことを熱く語ってくれた。だが、デモの常連ではないらしい。

「今日は、二回目の参加。前は、ネイザンロードの通行を止めていた勇武の活躍を見て、感動した。自分たちも、ああいったことをやりたいと思う」

「前に行きたいけど、今は装備もない。装備を買うにもお金がかかる」

「今日は後ろの方にいるけど、次は前の方に行くから」

こちらが聞いていないのに、言い訳をする彼らは、同年代の勇武もいることを知っているのか、少し自分たちを恥じている様子だった。たとえるならば、みんなやっている崖の上からの飛び込みに、一人だけ躊躇して固まってしまっているような状態か。

「自分たちの未来を考えてここに来ているんだろう。それだけでも偉いよ。日本の同世代だと、君たちみたいに、デモに参加して、警察に対抗するなんて考えてないよ」

彼らを勇気づけようと言ったのだが、彼らはあまりピンときていないようだった。

「日本で生活したことがないので、日本のことは分からないけど、アニメやマンガとか、日本で生まれてた方が、楽しそうだ」

だが、彼らは確信したようにこう答えた。

「でも、ぼくらは香港が好きだから」

彼らは、崖の上に立たされている。そして、平和だったら踏み込まなくてもいい一歩を、自分たちの未来のために踏み込む覚悟のようだった。

少年たちのこうした思いは、時として私の予想を超えることがある。太子駅直上の旺角警察署への抗議デモのときだ。最前線から離れたところに一〇代前半に見える男の子たちがいた。ベースボールキャップにマスク姿の四人組だ。

「日本から取材に来たんだけど、少し話をしてくれないかな？」

同行した香港人の通訳と彼らに声をかけたのだが、彼らは、私たちの登場に困ったような表情をして黙ってしまった。勇武派の真っ黒な格好でもない、一般参加者のような姿の彼らは、和理非の学生だろうか。武器らしいものもないが、一人が何やらコンビニのビニール袋を持っているだけだ。すると、通訳が、私を彼らから引きはがして、日本語で言った。

「彼らにそれ以上、話を聞いてはダメです。火炎瓶を持っています」

一人がちょっと不自然に抱えているビニール袋の中には、握り拳大の小瓶が数本あったのだが、それが火炎瓶だというのだ。

「え？　だってあんな若い子なのに」

そう言えば、小学生男子が火炎瓶の所持で逮捕されたという記事が先日あったばかりだった。声をかけたときの、彼らの複雑な表情を思い出し、何ともやるせない気持ちになった。この晩のデモで火炎瓶が使われることはなかった。彼らは、どこかの現場で、あの火炎瓶を投げたのだろうか。

何だか、みんな真面目過ぎる——。香港の若いヤツらに対する、このときの正直な感想だった。切ないくらいの思いは分かるのだが、息苦しくもある。そんなとき、同じ日、デモ隊に囲まれた旺角警察署前にいた別の二人の少年は、それまでにいないタイプだった。彼ら二人は、警察の向かい側の歩道に座り込んで、タバコをふかしていた。

香港は、喫煙にうるさい。海外からのタバコの持ち込みもほとんど不可で、公共の場での喫煙にはかなり厳しい。店で買うと一〇〇〇円近くするし、罰則も反則金が約七万円程とかなり高額だ。だが、不思議なことに、未成年に対しての販売は違法でも、未成年がタバコを吸うこと自体は違法ではないという。

オープンシャツをラフに着こなし、金髪のメッシュが入ったヘアスタイル。ピアスもしている。日本だとコンビニ前にたむろってそうな、不良然とした彼らを見て、なぜかうれしくなった。一七歳だと言う二人。私は夜回り先生ではないが、彼らに話を聞いた。

「デモには参加してない。今日は、なんか面白いことが起こるのかなと思って来た」

「高校を卒業したら、仕事をするつもり、勉強は嫌いだ」

「政府に対しては、言いたいことはある。警察も嫌いだ」

彼らの進路の選択肢に、警察官はないのか聞いてみた。

「こんな嫌われ者にはなりたくないよ」

ふかし気味の彼らのタバコの煙を前にして、正統派な不良少年の矜持を垣間みた気がした。

祖父は親中派。夏休みはデモ漬け。私はそれでも戦う

グレースさん（仮名）は、一八歳。小柄で目が大きく可愛らしい女の子だ。日本に旅行に行ったこともあり、最近は日本の女の子のおしゃれを参考にしていると言う。この九月から大学に進学する。香港の知人を介して、話を聞くことができた。

夏休み中はずっとデモに参加していた彼女は「基本的には、救急ボランティアとしてデモに参加している」と言う。これは、消防署に籍を置く正規の隊員ではない。医師や看護師などの資格を持った参加者もいるが、救急処置の初歩的な講習だけを受けて、デモ隊の中の人たちのケアを行うボランティアである。黄色いベストに“FIRST AID”などと書かれており、赤や緑の十字マークをつけることもある。救命道具を持ち歩くが、一番使うのは、催涙弾にやられた人のケアのための生理食塩水だ。

この救急ボランティア、香港のデモの現場を見たことがある人ならば、けっこう身近な存在だろう。デモのどこかに必ず同行している。「和理非」の現場にもいるし、デモの最前線にまで出てくることがある。デモの最前線では、ずらっと並んだ警官隊の前に、それを取材するマスコミに続いて、救急ボランティアが数人待機する。警察は、こうした救急ボランティアも、

デモ隊であると認識しているようだ。催涙弾の水平撃ちで狙われたり、時には言いがかりの罪で逮捕されたりする。

グレースさんは、仲間数人とチームを組んで、救急ボランティアの活動をやっているようだった。そんな彼女のデモ参加歴は長い。二〇一四年の雨傘運動にも、彼女は参加したという。

「雨傘運動のときは、中学の二年生。物資係の方に参加して、お使いなどを頼まれていました。金鐘（アドミラルティ）の現場などにいましたよ。政党などに属してはいませんでした。何か自分でもできることがないかと、学校が終わって一人で参加していました」

雨傘運動が終わってからは、しばらく参加するデモもなかったようだ。しかし、二〇一九年になって、逃亡犯条例への反対運動が盛り上がってから、再びデモに参加するようになった。

「今でも特定の政党などに参加してはいません。でも、逃亡犯条例は絶対に認められないし、今となっては、五大要求を政府に認めさせるまでは、活動を続けます」

正直、実年齢より幼く見える彼女が、活動と言ってもピンとこなかった。だが、現在の彼女は週末のほとんどをデモの現場で過ごし、時には深夜になってしまうときでも、最後まで参加しているという。

「地下鉄がなくなっても、香港は乗り合いのミニバスで帰ることができます。それと『家長』によるデモ参加者の送りのサービスもあります」

「家長」とは、デモ参加者の様々な支援を行うボランティアの総称だ。前線の若者に対して資金的な援助をすることもあるが、深夜帰れなくなったデモ参加者を自家用車で自宅まで送り届けるボランティアドライバーなど、様々な関わり方がある。

しかし、見た目では幼いという印象しかない彼女である。深夜までのデモ参加を家族は心配していないのだろうか。

「両親は、デモに行っていることは知っています。文句は言われていないので、黙認という感じです」

話しているうちに気がついたが、彼女は見た目によらず、かなり芯が強そうだ。大学が始まると忙しくなりそうだが、これからもデモには参加し続けるのか、聞いてみた。

「おばあちゃんになっても、絶対にやっています」

まだ一〇代の彼女の決意は、これからの香港の長い道のりを考えてのことなのか。そして、少し、躊躇しながら、告白してくれた。

「私は、勇武としてデモの前線にも行くことがあります」

救急ボランティアは、あくまでデモ隊の一部であるという警察側の認識は、参加者が流動的でもあるのが理由のようだ。勇武と「和理非」の境目も曖昧で、彼女のように臨機応変に参加形態を変えることも珍しくない。

「警察署への抗議のとき、顔を隠して警察車両に石を投げつけたこともあります」

彼女の言葉を疑っている訳ではないが、彼女と投石という破壊行為もまた結びつかない。そんなインタビューの途中で、彼女の救急チームの仲間であるという男の子たちも四人程やって来た。彼女より年下の一七歳や一六歳だという。何だか、ワイワイと学生のノリになってきた。彼女について男の子に水を向けると、一人の子が彼女の活躍について、ぶっちゃけた。

「でも、あのとき、警察の車まで、石が届いてなかったよ」

それについて、彼女はあくまで「届いていた」と言い張る。デモが始まってから知り合ったチームなのだというが、やっていることの是非はともかく、何だか楽しそうではある。だけど、彼女たちの会話は、どんどん物騒になっていく。

「警察の車を全部燃やしちゃえば、もう警察は動けなくなる」

「今アメリカから都市ゲリラ戦の専門家が来ていて、その人物が教えてくれる火炎瓶のレシピは強力らしい」

真偽はともかく、そんな噂《うわさ》が若い子たちの間では回っているらしい。彼女たちとしても、数ケ月前までは、火炎瓶の作り方なんて興味すらなかったことだろう。まだ彼女たちは、実際に火炎瓶を使ったことも触ったこともないようだ。だからこそ、私の前でそんな話をしているのだろうが。

2019年8月5日の旺角の路上。「火の魔法」で警察に対抗しようとしている勇武

ひと通りそんな話をしたら、彼女の昔の写真の話になったり、リュックにつけた新しいぬいぐるみの話になったりと、学生ノリの話題はつきない。オタク系の男子学生の集団に君臨する、オタサーの姫ではないが、このデモチームのちょっとした姫的な存在なのだろう。なかなか青春しており、微笑ましい光景ではあった。

一ケ月程した後、彼女のその後を知りたくて、紹介者に連絡をしたところ、彼女のデモ参加は突然終了したという。一瞬、逮捕されたのかと思ったが、原因は家族だった。

デモに参加しているのが、祖父にばれたのだ。孫娘のデモ参加など知らなかった祖父は、ある日、彼女の部屋に入ってデモ関係の装備やチラシなどを発見して、激怒した。彼女の祖父は、中国返還のずっと前からの共産党関係のシンパで、共産党関連の要職についていたのだとか。

「今住んでいるところも、お前が大学に行けるのも、お前の今の生活があるのはすべて共産党のおかげなのに、なんてことをやっているんだ」

そう祖父は激怒して、それからデモに行かせてもらえなくなったという。デモに参加できない彼女は、それ以来、ちょっと病み気味でもあるとか。

八月に入って、彼女と同じ一〇代のある学生の自殺が伝えられた。デモに参加していることで、家族と不仲になり、家出をして行くところがなくなってしまい、遺書を書いて自殺してしまったのだ。政府への抗議の形の自殺ではあったが、その背景がデモ参加者の学生たちの同情を誘った。デモ活動が原因での家出や家族との不和は珍しくないのだ。

通識教育科（リベラルスタディーズ）、香港型ゆとり教育がデモ隊を生んだ？

勇武と言われる過激な活動家のほとんどが、実は学生である。つまり、現在の香港の抗議活動を主導しているのは、紛れもなく学生たちである。その学生たちも、大学生ばかりという訳ではなく、中高生たちの多くも、デモの現場に参加している。中には、小学生すら参加しており、香港の学生たちの問題意識の高さにはいつも驚かせられる。北京語教育を受け入れる一方で、香港の教育界はどうやって、こうした学生たちを育ててきたのか。そこには、香港の教育界の矜持があった。

香港は熾烈《しれつ》な学歴社会である。受験戦争に関しては、日本の比ではないとも言われている。その上、大学としてもアジア屈指の評価を受けている。イギリスの高等教育専門誌「タイムズ・ハイヤー・エデュケーション」の「二〇一九年版　アジア大学ランキング」によると、トップ一〇に香港の三大学がランクインしている。三位に香港科技大学、四位に香港大学、七位に香港中文大学である。日本からは東京大学が八位に入っているのみ。ちなみに、中国からは、一位に清華大学、五位に北京大学がランクインしている。こうした大学の質に関してのランキングは、その指標によって大きく評価が変わるために、一概に言える話ではないのだが、わずか人口七四八万人の香港がアジアの大学をリードしているとも言える状況なのである。香港の学生たちが受けてきた教育とはどんなものなのだろうか。

香港は、日本でいうところの高校卒業時に、全員が一発勝負の「香港中学文憑考試」という共通テストを受験することになっている。このときの点数が、その後の大学進学、就職などのときに必要になるのである。もちろん、この試験に向けて、香港では、かなりの受験勉強が行われている。そんな中でのデモ参加なのである。

雨傘運動以来、連絡を取っている現役の香港の高校の理科教師・オビ先生（仮名）に、香港の教育現場の話を聞いた。

「かつて『公開統一試験』という名前で同様の試験が行われていた頃は、香港の教育は、かなりの詰め込み型でした。どんな科目も模範解答をどれだけ暗記できるかで高得点が取れたのです」

日本や韓国などにありがちな「受験勉強」だったようだ。だが、海外留学が盛んな香港のこと、海外で教育を受けてきた学生と比べて、いろいろな点で「学力」が劣っていたことが問題視されるようになった。語学力や、批判的思考能力、創造力、コミュニケーションスキルなどについてである。これは、社会に出たときに受け入れる経済界などからの要望が強かったという。主に金融業界などが、そうした人材を欲した。

「そうした昔の香港の教育は、政治的無関心を生んでいたとも言われています。若者たちは、将来のために、黙々と暗記型の勉強を頑張っていた。しかし、香港は資源も何もないところです。人材こそが香港の宝だと気づいたのです。金融センターなど、香港が世界で存在感を発揮できる場所では、高度な人材が求められていました。現在、政府の予算の四分の一が教育関係に使われているとも言われているのです」

返還前後に行われた教育改革では「探究型学習」という、アメリカで行われている教育システムが参考にされた。実は、日本の文部科学省でも提唱されており、「自ら学び自ら考える力の育成」（初等中等教育局初等中等教育企画課教育制度改革室）と、定義されている。ただ、これは、日本では学力低下の原因ともされた「ゆとり教育」の中で提唱されたものでもあり、「ゆとり教育」自体、現在の日本でうまくいったと認識している人は少ないだろう。そうした悪いイメージもあるが、探求型学習は、問題に対して、主体的に取り組んで、自分から学び、自分で思考する力を育成するのであるから、それまでの詰め込み型、暗記型の学習とは対極のものである。

日本では、大学での討論型のゼミ発表などが該当するのではないかと思われるが、香港ではそれを高校生のときに行っているのであるから、かなり難しい内容だ。教科書がなく、新聞などにある現在の生きたテーマ、社会問題などが教材である。

それは現在、「通識教育科」として、香港の学生の必修となっている。

未来を切《き》り拓《ひら》く思考の訓練

「香港の学生たちの政治意識が高いのは、この高校でのリベラルスタディーズ（通識教育科）によるところが大きいとも言われています」

「香港の高校では、答えがない社会問題に対して、生徒自らに考えさせます。何が問題なのかを考えて、それを解決していく力をつけるのが狙いです。政治的な見解に踏み込むこともありますが、それは、教師も個人としての立場で意見を述べるのです。それについての意見を生徒と活発に話し合います」

ここでは、先生とは教えを乞うだけの存在ではなく、時に論争相手にさえなるというのである。日本では、一八歳で選挙権付与という改革が行われたのだが、生徒が初めて持つ投票権を前にして、学校ではなるべく教師の政治的見解などを言わない、という腫れ物に触るような日本の教育の現場とは、かなり事情が違う。

「例えば、地域で問題になっている火葬場の新設の問題、大嶼（ランタオ）島の人工島の問題、選挙制度など、答えは出ないが、身近な社会問題を扱うのです」

話に出てきた香港国際空港があるランタオ島は、香港島からはかなり距離が離れているのだが、そこに埋め立てによる一七〇〇ヘクタールもの人工島を造って、最大二六万戸もの共同住宅などを建設するという計画だ。香港の住宅事情を改善するための方策なのだというが。

「空港建設の四倍と言われる七九〇億ドル（約八兆八〇〇〇億円）の巨額な予算に見合っているのかという批判や、周辺への環境汚染の問題などが生徒側から指摘されます。また、香港の住宅問題を解決するためというのならば、もっと根本的な問題があるのではないか、大陸からの投機的な不動産投資の規制を行うべきでは、などと踏み込んだ意見さえ生徒側からの指摘では珍しくないのです」

行政による解決法が必ずしも正解ではないことをそこで学ぶという。もちろん、政府側の解決策を支持する生徒の意見も尊重される。この授業では、生きた素材として、自由に意見を闘わせることができるのだ。香港の学生たちは、そうして自分たちの未来を切り拓く思考の訓練を続けるのだ。

「現在、政府への五大要求の一つである『警察の暴力に対する独立調査委員会の設置』という要求も、香港の学生ならば、自然と出てくる言葉です」

二〇一八年、香港の地下鉄の新線で行われた不可解な受注と手抜き工事が発覚して、香港メディアは沸騰し、香港MTRのトップが責任を取って辞任するという事件があった。

「このときも授業のテーマとして多くの学校が取り上げました。その結果、学生たちから独立調査委員会が必要だ、というような意見も出てきたんです。そして、林鄭月娥（キャリー・ラム）行政長官も第三者委員会による調査を命じました」

社会的な公正を求める香港市民の意識は、この年の政府には受け入れられたのである。五大要求もそうした、学生たちの学習から自然と出たものだという。

「そうした生徒とのやりとりは、他の授業でもあります。私は、生物学を教えるときに、遺伝子操作などの生命倫理について生徒とディスカッションをやったことがあります。また、同じく担当する宗教学では、それぞれ自分の信仰する宗教に基づく意見も出てきて、活発に議論します」

社会の一員という意識が学生の時期に、こうして育まれていくのだろう。オビ先生自身も、民主主義に関しては、かなり熱い人である。雨傘のときも何度も現場に足を運び、今回のデモでも「和理非」として参加している。だが、その熱は教育の現場では珍しいことではないらしいのだ。

「私が教員を務める学校は、実はそんなにレベルが高いところではない。一〇％程度しか大学に進学しないのです。残りは専門学校などに進学します。しかし、政治意識はかなり高い。今回のデモには半数以上の生徒が参加しているようです。学校で行われた一斉ボイコットでは一五〇人程が校庭の真ん中で座り込みをやりました」

デモの現場で逮捕されてしまった学生もいるという。それでも、学校でデモ参加者に対してのネガティブな扱いはないそうだ。

「実際に、一一月の香港理工大学の包囲では、中に私の学校の生徒が数人いて逮捕されました。校長が迎えに行きましたが、それで終わりです」

ただ、そうした学校ばかりではないようだ。政府や教育委員会は、いろんな形でこうした民主派の活動を容認する学校への圧力を強めているという。

リベラルスタディーズがジョシュア・ウォンを作った

北京政府はこうした香港の教育が面白くはない。二〇一二年の「国民教育導入問題」で、それは噴出した。中国本土並みの愛国教育を香港で推し進める国民教育（「徳育及び国民教育科」）を実施しようとしていたのである。これは、雨傘運動の二年前のことであるが、学生、教師を中心に大反対が巻き起こった。このとき、一躍名をあげた人物が、黄之鋒（ジョシュア・ウォン）である。彼は、「学民思潮」という学生組織を率いて、この国民教育導入への反対運動を繰り広げた。七月には、教員・学生・保護者など九万人を動員した抗議デモを主催した。それでも実施しようとしていた政府に対して、再び、九月に、香港政府庁舎前で抗議集会とハンガー・ストライキを開催し一〇万人を動員して、結果、事実上の撤回を勝ち取ったのである。このとき、ジョシュア・ウォンは、わずか一六歳だった。そして、二年後の雨傘運動でも、彼は大きな働きをすることになる。

「リベラルスタディーズがジョシュア・ウォンを作ったとまで批判されますが、本来、個人が民主主義のために考えなければならないことなのです」

今回のデモの現場で話を聞いて思ったのは、実は、雨傘運動の英雄、ジョシュア・ウォンは特別な存在ではなく、現在、数万のジョシュアがいるというのが香港ではないかということだ。彼らはリーダーに頼らず、自分たちおのおのがリーダーという意識の中で、問題解決のために、それぞれ自分ができることをやっているのだ。武器はSNSなのだろう。自分のアイデアを発表、連携しながら、大きなうねりを作る。

もちろん、個人個人が、民主主義というものを考えていないといけない。そうした学生たちを育てたのが「通識教育科」だとしたら、何と大きな結果を引き出した「ゆとり教育」だろうか。

学生たちのリクルート問題

日本から香港の学生たちの活動を見ると、一つの疑問があるだろう。せっかくいい大学を出た香港の学生たちの就職についてだ。かつて学生運動が盛んだった日本は、学生運動に参加すると、その後の就職に影響するということで、その参加者が少なくなっていった。政治活動をしようとすると、真っ先に学生に突きつけられる現実だろう。

知人の香港人によると「ＨＳＢＣ（香港上海《シャンハイ》銀行）グループが、今期の香港の大学新卒者の採用を中止する」という。阿片戦争後の一八六五年に設立されたＨＳＢＣは、本拠地はロンドンにあるが、香港にある本店では紙幣の発行も行っており、世界最大級の巨大な金融グループだ。もちろん、香港の大学生の就職先としては人気である。

このことを、香港中文大学で日本語講師を務める小出雅生《まさお》さんに尋ねてみた。

「それは日本の常識だったら、大きな問題なんでしょうが、香港の学生でそのことを気にしている子は多分いませんよ。そもそも一括採用という概念が香港にはないんです。大学院や留学のため、就職の時期も人それぞれです。就職活動も個人で行いますから、企業側も本人の能力を見極めることがメインとなります。政治活動も、そんなに問題とはされません」

これは、香港の取材のときに注意すべき点だった。香港社会は日本の常識に囚《とら》われてしまうと、大きく見誤ることが時々ある。

「香港は転職も盛んです。新入社員で入って、ずっとその会社に居続けるという考えがそもそもない。例えば、ＨＳＢＣなどに入るならば、他の小規模な金融機関などでしばらく経験を積んで、転職を繰り返しながら、会社の規模を大きくしていって、数年後に転職することが現実的です」

個人と社会の関係が、日本とは根本的に違うのだ。「民主はないが自由はある」と言われる香港社会は、ある部分、日本よりずっと自由なのかも知れない。そんな香港社会は、学生に自由の価値と意味を伝え続け、学生は、自分たちの大事な香港社会の自由を守るために戦っているのだろう。

2020年1月5日　上水のデモに参加するファミリー。子ども連れも珍しくない

第四章
市民たちの総力戦

警官隊を押し返す市民の力（旺角の現場から）

「黒警、黒警」（ハッゲィン、ハッゲィン）

市民たちが口々に叫ぶ声は、香港の九月の夜のべっとりとした空気を揺らし、旺角（モンコック）警察署に容赦なくぶつけられる。物見櫓《ものみやぐら》のように盾が巡らされた警察署三階のバルコニーに出てきたフル装備の女性警察官は、何重にも囲んでいる市民たちにマイクを使って、ただちに解散するよう呼びかける。しかし、「黒警」の声は大きくなるばかりだ。この、警察への最大の侮蔑の言葉を叫ぶのは、黒いTシャツを着た若者、デモ隊だけではない。お年寄りに中年女性、中学生までが声をあげる。マスクをしている人もいるが、まったくの素顔で抗議している人が大多数だ。警察署前に集まった人たち、その数は一〇〇〇人以上にはなるだろうか。

ひと通りの「黒警」コールが終わると、「光復香港」との声があがる。間髪いれず「時代革命」と別の方から声があがる。しばらくは、この今回のデモ最大のスローガンが叫ばれる。警察署前に抗議に集まった人々の勢いは衰えることがない。そうこうしているうちに、黒Tシャツのデモ隊はどこからともなく、バリケードを作り上げ、彌敦道（ネイザンロード）を閉鎖してしまった。自動車は迂回《うかい》するしかない。だが、本来であれば迷惑なはずの道路封鎖も、わりとすんなりといってしまう。警察署前で抗議する市民の前を通り過ぎる車の運転手が、クラクションで群衆にエールを送ることとさえ珍しくないのだ。

警察署の出入り口前に設けられたお立ち台には、機動隊装備の警察官がビーンバッグ弾と思われるショットガンタイプの暴徒鎮圧用の銃を携えて配置についた。布袋の中に多数の鉛の玉が入った低致死性の弾《たま》を発射するこの銃は、これまでも多くの市民を傷つけてきた。撃たれると、あたりどころによっては、失明など後々障害が残る怪我も出ている。いよいよ、警察も反撃に出るようだ。

警察の正面にはマスコミが陣取っている。一斉に警官にカメラを向けるが、それよりも速く、デモ隊のレーザーポインターが警官をとらえる。直接目を狙ってくるグリーンの光線に、怒りに顔を歪《ゆが》ませ、こちら側をにらみつけている。それを照射している若い黒ずくめの男は、充分な距離を取っており、警官の銃の射程外であることを知っている。レーザーの光は、いくつもの方向から当てられて、緑、青の光線に警官が照らされる様は、そのままデモ隊の明確な敵意をぶつけているようだ。となりに立つ警官が警告の旗を掲げる。オレンジの旗には「速離否則開槍　DISPERSE　OR　WE　FIRE」とある。離れなければ、射撃を開始するという物騒な警告だ。これは、撃ってくるかも知れない。

威嚇のために、通りの向かい側にある地下鉄の入り口の壁部分にぶっ放した。乾いた発射音に、数人が後ろに下がり始める。しかし、デモ隊は、警察が人数を揃えないと何もできないことを知っている。押してこないと見ると、さらに挑発を続ける。

香港の地下鉄の大動脈である荃湾（チュンワン）線の太子（プリンス・エドワード）駅。旺角警察署は、その真上にある。ネイザンロードが占拠されるなどの大規模なデモがある夜はデモ隊が押しかけていたのだが、八月三一日に太子駅構内でのデモ隊に対しての過剰な暴力と、その結果の行方不明者疑惑が発覚してからは、毎週末、時には平日夜さえも、市民に囲まれるようになり、フル装備の警官隊が抗議に来る市民たちを追い払うようになった。ここでは、それが日常となりつつあるのだ。

直近の地下鉄の出口は閉鎖され、その並びにある警察署の入り口には物々しい遮蔽物が置いてある。香港一の盛り場である旺角を管轄に持つ旺角警察署。その裏口には、機動隊の応援が到着したのか、ネイザンロードに整列し始めた。人数が増えて二列、三列と隊列を作り始める。そうしながら、警官隊はポリカーボネート製の片手サイズの盾をガンガンと警棒で叩き始める。全身が隠れる大きな盾は、それを路面に叩きつけ、ガンガンと音を立てていく。どこかで見たなと思ったら、それこそ、三国志の戦のような、銅鑼《どら》や太鼓を打ち鳴らして突撃する映画のシーンだった。機動隊の戦意も高まったのか、タイミングを図って、肩章に星がたくさんある指揮官の号令で突撃が始まる。

だが、ほとんどの場合、警察は本気でデモ隊を取り押さえようとはしていない。突撃が始まるはるか前に、デモ隊はバリケードを残して、その場を離れているのだ。元々、デモ隊を排除して、群衆を解散させるのが目的でもあるが、黒ずくめのデモ隊、勇武派と言われる実力行使を行うデモ隊は、素早く逃げてしまう。結果、こうした突撃の先に、野次馬的に見物していた市民を無理やり尋問して、嫌がらせ的に逮捕するか、報道陣に対して悪態をつき、反論してきた記者にペッパースプレーを浴びせるくらいしか警察はやることがない。だが、そうした警察の態度は、ますます市民の反感を買っていくことになる。

顔をマスクで隠して、ヘルメット姿の全身黒のデモ隊は見つけ次第に逮捕する気満々な警察でも、素顔で抗議してくる市民に対してはなす術がない。その市民たちが通りに出てきた警官隊をすぐに囲むのだ。

旺角警察署から打って出た警官隊は、そのまま旺角の商店街へ。デモ隊の作ったバリケードを排除しながら歩くのだが、その側をずっと、市民が「黒警」「黒社会」などと囲んで抗議し続けるのである。これら市民は、抗議のために警察署前に集まった人たちばかりではない。通りすがりの市民も、この様子を見て多数参加する。警察を囲みながら、「黒警」と声をあげるカップルの手元には、これから所帯を持つのだろうか、買ったばかりの電気炊飯器と鍋やフライパンがあった。彼らは買い物帰りに、この騒乱に遭遇して、その場で参加を決意して警察に抗議の声をあげているのだ。さらには、警察がデモ隊の残した火を消火している前で記念撮影

9月6日旺角　アイスを食べながら、警察に野次を飛ばす女性。この後、催涙弾が飛んできた

をする若い女子や、アイス片手に警察をなじる若い子もいる。駅に繋がる陸橋が道路上にある交差点では、ずらりと並んだ市民たちが、橋の上から警察に罵声を浴びせ始めた。

　その声が大きくなるたびに、たじろぐ警官隊の姿が見えた。そうこうして、警官隊を追っていくと、かなり警察署から離れた地点まで来た。もう数キロは歩いたことになる。デモ隊はおらず、市民になじられるだけのためにこの場にいるような警察は、なす術もなく、警察署に戻らざるを得なかった。警官隊は市民に押さえ込まれた形となったのだ。最後に腹いせ紛れなのだろう。手榴弾《しゅりゅうだん》タイプの催涙弾をマスコミの方に投げつけ、警察車両に乗り込んで帰っていった。その場をすぐに離れたのだが、私を含めたマスコミ数人と見物に来ていた市民の何人かがガスを吸ってしまった。しかし、すぐに市民ボランティアの救急隊に助けてもらった。

地下鉄駅入り口の市民葬

八月三一日の昼間は、雨傘運動の契機にもなった行政長官の普通選挙を行わないという北京政府の「831決定」から五周年の日であり、金鐘（アドミラルティ）などでは大規模な抗議デモが呼びかけられていた。警官隊とデモ隊の衝突も発生したが、デモ隊はそのまま香港各地で抗議活動を行っていた。太子駅では親中派と見られる男性によるデモ参加者の市民への暴力事件をきっかけに、勇武と見られるデモ参加者が反撃するなどして大混乱となり、電車が停止した。そこに警官隊が突入して、大混乱の末、多数の逮捕者を出した。

だがこのとき、警察はかなりの暴力を振るった。押さえつけられ失神したのではないかと思われる勇武もマスコミが撮影した映像に残っている。その後、警察は駅の構内からマスコミを追い出し、救急隊さえ追い出した上で、救護が必要なはずの抗議者たちを隔離した。見える距離にいる負傷者に対して何もできない民間救急隊の男性は泣き崩れた。

その後の警察の対応は不可解極まりない。病院に搬送すべき負傷者を太子駅からではなく、他の駅まで特別列車で運んで、病院に搬送したというのだ。後日、病院に搬送された負傷者の数が、当初警察発表と消防署発表で三人食い違ったのである。

「香港の救急チームは、過去に航空機事故などの大惨事でも優秀な働きをしていて、負傷者の数を間違えることはありえません。その後、三人は人民解放軍の病院に連れて行かれたとも言われています。そこからの安否は分かりません」（香港市民）

市民は、抗議者が警察の暴力のために殺され、それを隠蔽するための一連の行動だったのだと信じるようになった。太子駅構内の防犯カメラは、市民からの要請で後日香港ＭＴＲが公開したのだが、それは不完全な形でしかなく、改めて市民の怒りを買った。結果、その後も太子駅では、市民による抗議が繰り返され、警察署直近の駅の入り口は改装のためという理由で閉鎖。しかし、そこには市民たちが連日「葬儀」の飾りつけを行い、弔い花を飾った。

日本の常識からしたら、警察署が市民に包囲されるなど考えられないことではないだろうか。だが、現在、市民の敵として立ちはだかる香港警察は、しばしばデモ隊に包囲されては、こうした抗議を受けるようになったのだ。

「あなたたちは現在、違法集会を行っています。凶器となるものを捨てて、すぐに解散しなさい」

警察署の中から、女性警官の拡声器越しの警告の言葉は、デモ隊から「警察に告ぐ、お前たちは市民が完全に包囲した。早く武器を捨てて、大人しく投降せよ」と、辛辣に返された。現場では、市民たちが苦笑していた。

破壊活動で暴かれた政府の嘘

第三章で記述した通り、香港の街はデモ隊によって破壊されている側面も否定できない。だが、破壊によって新たな事実が判明することもあった。中国大陸には「天網」と呼ばれるＡＩを使った顔認証の監視カメラのネットワークシステムを整備している。また、国民の信用情報をスコア化する「百行征信」（バイハンクレジット）も進められている。日本や西欧諸国では、プライバシーの問題があり、なかなか実用化できない国家規模の監視システムを、中国はどんどん推し進めている。

この二つによって、中国はかなり厳しい監視社会になりつつあると言われている。「天網」は刑事事件の逃亡犯や行方不明者などの捜査のため、という名目であるが、厖大《ぼうだい》なデータからでさえ、任意の一人を抽出できる上に、追跡も可能だとも言われている。「百行征信」は、税金、保険料などの未納などがブラックリスト化されて、飛行機や高速鉄道などに乗れなくなるなどのペナルティも科されるというものだが、ネットショッピングなどの履歴もデータとして残されるという。どこで何をして、何を考えているのかが、政府によって把握されるのだ。つまり、この二つのシステムを組み合わせることによって、国民の生活は完全に監視下に置かれる。

香港のデモ隊は、八月末、香港の路上に設置されている「防犯灯柱」(防犯カメラを設置した街灯)を電気ノコギリで切断して倒すなどして破壊した。こちらの街灯は、新型の監視カメラが装備されているとして、「天網」と連動しているものではないかと問題になっていたのである。もちろん、香港政府は「単なる防犯カメラだ」と否定していた。だが、破壊された防犯灯柱の中身を検証したところ、高精度で顔認証のデータを収集でき、データの送信まで行える装置が確認されたのだ。

カメラの奥にあるデータの処理装置は、中国の通信機器メーカー・華為技術(ファーウェイ)製だった。香港政府の説明は、実際とは違ったのだ。このことによって、市民は香港政府が大陸と同じような監視社会を作ろうとしているのではないかとの疑念を強く持つようになった。

そのことを香港市民に伝えると、こんな答えが返ってきた。

「中国人たちに人権とかプライバシーの話をしても、そもそもがそうした概念がない。でも、私たち香港人は違います。人権やプライバシーの尊重は、日本や西欧諸国以上にうるさい部分がある。市民社会が許さないのです」

警察への対抗も、自分たちの市民社会を守るという意識からなのだろう。

デモの現場で見た、市民たちのサポート

数十万人以上が参加する大規模なデモが呼びかけられるとき、そこにはかなりのサポートが必要だ。ネイザンロードや軒尼詩道（ヘネシーロード）というような幹線道路でのデモの場合は、多くの店はトラブルを警戒して店を閉めるのであるが、このときに、開けている店もある。それは個人商店などが多いのだが、店頭ではデモ参加者のために水を配り、トイレや軽食まで提供することがある。

日本式の居酒屋はデモ参加者のための休憩所として、デモの日に昼間から店を開いていた。大規模なデモがあるとトイレの提供だけでなく、おにぎりも配っていた。他にもスマホの充電などもでき、Ｗｉ‐Ｆｉなども提供していた。警察から追われたデモ隊が逃げ込むときも、かくまったりする市民は多い。個人商店だけでなく、大きなショッピングセンターでも、警備員が警察を止めたことがある。市民総出でのデモ隊支援のように見えるのだ。

警察署などへの抗議のデモは、突発的に発生することが多々あり、夕方から深夜まで抗議が続き、その結果、デモ参加者は地下鉄や路線バスが終了して帰れなくなることがある。そうしたときに前述のボランティアドライバーが活躍する。実は、かくいう私も送ってもらったことがある。

黄大仙（ウォンタイシン）の警察署を囲んだデモを取材したときだ。深夜に及んだ抗議活動を取材していたところ、警官隊がデモ隊を散らして撤収した後、私は帰る術をなくしてしまった。

そこに来たタクシーがいたので、乗れるか聞いたのだが、運転手は「ノー」と言って、抗議者の帰宅困難者を探していた。抗議に来た市民は広場に集まっていたが、近所の人ばかりであり、送りは必要なかった。それでも、彼はデモ隊のために待機していた。

私の事情を知っているデモ参加者が、そのタクシー運転手に話をしてくれた。年配の男性運転手は、日本から来たマスコミの私を、送ってくれることになった。気のいい運転手は英語が不自由だったが、日本の渋谷駅前で行われた香港支援デモでの「香港加油」のコールの動画を見せたら感激してくれた。降りるときに、私がタクシー代を渡そうとしても、絶対に受け取らない。私は頭を下げて、彼の車を見送った。

自家用車だけでなく、タクシーの運転手までが、わざわざ仕事が終わった後に、帰宅困難デモ参加者を送り届けるために探しに来るのである。

デモ最前線の女性たちの活躍

市民総がかりのデモには、多くの女性も参加している。女性たちは時には現場をリードしている。それは、「和理非」のデモの現場だけでなく、直接警察と対峙する最前線でも珍しくない。勇武として、すっぽりと全身黒の出で立ちであるが、小柄な体つきから女性だとすぐに分かる。中には、最前線なのに黒のノースリーブにホットパンツという女性も珍しくない。

そうした女性に対して、日本も同じなのだが、かみついていくのがネット民の常である。「連登仔」と呼ばれる香港のネット民は、こうした女性を許せないらしく、デモ最前線の写真などを挙げて「こんな格好で前線に来るとは、足手まといになるだけ。それで男に助けてもらえると思ってるなんて恥を知れ」という書き込みがあった。

この書き込みに対して、デモに参加している勇武たちからきついレスが相次いだ。

「お前、前線に出たことないだろ?」「そんなカッコで、催涙弾を投げ返している女性を知ってるぞ」「そのまま逃げて一般市民に紛れ込めるから有利な服装なんだよ」「お前こそ、パソコンの前から前線に出てこい」

書き込んだ主はフルボッコにされたという。香港も、ネットで威張るだけの人間には、なかなか厳しいようである。この連登仔とは、一時期の日本の2ちゃんねらーのような存在で、日本のそれと同じく、キラキラ系の女性とは折り合いが悪いようだ。

香港女性の多少高飛車な性質は、往々にして「港女」(ゴンロイ)という、少し侮蔑的な意味の言葉で表現される。そうした香港女性の立場がよく分かるのが、香港のバレンタインデーだ。このイベントは、日本の常識がまったく通用しない。日本とは逆に男性から女性に花束などのプレゼントを贈る日なのだ。高い薔薇《ばら》の花束などと一緒にプレゼントを彼女の職場に送るのだという。これをさぼると、香港の男性は女性からそっぽを向かれてしまう。そして、そのお返しのホワイトデーのようなイベントがあるのかというと、そうしたイベントは一切ない。

そんな香港女性たちなので自己主張も強いようだ。もちろん政治的にも一家言持っている。

今回のデモの現場で見た、愛しの「港女たち」について記したい。


八月五日のゼネストの夜、ネイザンロードを占拠した大規模デモ。九龍半島のメインストリートは、黒いデモ隊に占拠されていた。解放区と化した幹線道路には、若いデモ隊が溢れていた。ここまでは、勢いで参加している人間も多いようだ。マイクを持った勇武派の若者が呼びかける。

「今ここの現場は警察によって包囲されつつあります。脱出する人は早めに後ろの方に行ってください」

それでもあえてそこに残るという、戦闘準備万全の黒一色の勇武派の中、赤いノースリーブに、トートバッグを肩かけした女性がいた。普段着姿のその女性は、デモ隊の若い子らに「おなかはすいてない？」「マックがあるわよ」と声をかけては、ハンバーガーなどの食料を配って歩いていた。マスクをする様子もない。彼女に声をかけて話を聞くと、

「これは私なりのデモへの支援。彼ら学生は食費を削って装備を買っている。少しでも彼らの役に立てればと思ってやっている」

さも当然のように話をする彼女。しばらく話をしていると、前線の方では警官隊が前進してきた。私はそれを見届けるために前線方向に。彼女は警官隊に敵意がないことを示すために道路脇、歩道によけていった。

この日は、前進してきた警官隊がすぐに催涙弾をぶっ放し、そのまま現場は大混乱になった。写真を撮るために前方にいたが、いつの間にか、催涙弾にやられて、私は涙が止まらない。そのまま、道路脇にそれて、後方に下がっていると、先程の彼女と再会した。

「頭をこうしてね」

私の頭を抱えて、トートバッグにあった生理食塩水で、私の瞳の中にある催涙ガスの成分を洗い流してくれる彼女。目を開けられるようになって、視界に入ってきた彼女の姿は、本当に天使か女神かと見紛《みまが》うばかりで――。大袈裟《おおげさ》だが、初めて催涙ガスに巻かれてパニックになった私にとっては、地獄に女神、という瞬間だった。

彼女は自分の役割はデモ隊の後方支援と決めて、食事とこうしたケアを行っているそうだ。彼女の大きめのトートバッグには、食料や医薬品などの、武器以外のデモ隊支援セットが入っていた。この近くに住んでいて、女子に限るが、デモ参加者を自宅に泊めたこともあるとか。

五大要求のため自分がやれることをやる、ずっと続くデモは、こうした市民に支えられているのだなと、感心しているのも束《つか》の間《ま》、彼女は、次の抗議活動に移った。道路を確保して整列している警官隊は、ポリカーボネートの盾をガンガンと叩いて、向こう側にいるデモ隊に対しての威圧行動を行っていた。これはかなりうるさい。それに対して、彼女はこうまくし立て始めたのである。

「お前たち警察が毎晩騒ぐから、こっちは寝られないんだよ。静かにできないのか、バカヤロー！」

かなり厳しい戦闘モードで、彼女は警官隊を罵倒する。

「そんなことだから、市民に嫌われるんだ、少しは考えろ！」

警官を少しも恐れず、自分の思ったことをはっきりと言う。その姿に、私はまたまた感動してしまった。ここで合流した通訳は「なかなか厳しいスラングですねー、あのお姉さん、きっついです」と、別の点に感心していた。

香港のおばさんvs.警察官

これは深水埗（シャムスイポー）の警察署前だった。八月六日、レーザーポインターを持っていただけで大学生が不当逮捕されたために、警察署に抗議の市民が押し寄せ、囲んでいたのだ。抗議に押し寄せた市民を前にフル装備の警察官は銃を携えて対峙していた。

目の前に並んでいる警察官は、機動隊の戦闘服にヘルメット、プロテクターをつけて、催涙弾の入った銃や警棒を構えて整列している。市民は、その警官の前、一メートル程をあけて、にらみ合いの格好になっている。その最前列にいるおばさんがずっと、目の前の警察官相手に吠《ほ》えていた。一体何と言っているのか、通訳に聞くと、ちょっと困った顔をして「すごいスラングで、なまりも強いですが」と、かなりソフトに訳してくれた。

「お前ら警察なんか、玉ナシ野郎だ。その服を着て偉そうに銃を構えているだけだ。その服と肩の星（階級章）に守られているだけだ」

「おい、そこの、つっ勃《た》ってるだけの男。そんな服を脱いで私と勝負しろ。勝負するタマも度胸もないのか！」

このおばさんは、小柄で非力そうに見えるのだが、その気持ちだけは、この場にいる中で最強を誇っているようだった。顔出しで警察を非難する市民の声に、目の前の警察も黙るしかないようだった。

港女たちの最前線

市民としてデモを支持する女性も多いが、実際に、危険と背中合わせの中、最前線で勇武派として活動している女性も珍しくない。やっていることがことだけに、なかなか取材できなかったが、知り合った香港人の紹介で取材することができた。インタビューする場所に現れた普段着の彼女との初対面には、正直とまどった。身長は一四〇センチ台、かなり小さくて華奢《きやしや》、二〇代後半で会社員であるというが、化粧っ気もなく、ショートカットにメガネ姿の彼女は大学生くらいに見える。どちらかと言うと、控えめな彼女は、大人しい感じの女の子、という印象だ。暴力の臭いは皆無である。

だが、最前線で彼女が経験したことは苛烈だった。F（仮名）と名乗った彼女は、勇武派として数々の現場を転戦し、警察と正面からぶつかって、顔のすぐ横を銃弾がかすめて行ったこともあったという。ヘルメットにゴーグル、ガスマスクといった防具をつけて、黒ずくめのスタイルで、最前線に立つ彼女は、盾を持って警官隊と対峙するという役回りだったという。

「雨傘運動のときは病気の療養中で参加できませんでした。ずっと民主派を支持していましたが、団体に所属したことはありません。でも、心情的には本土派支持でした」

政治活動すらそれまでやったことがないという彼女が、六月九日の反送中デモに参加することで目覚めたのだという。

「当日は完全に『和理非』でした。顔も出して、デモしていたのですが、これだけの人数が集まっても、政府は対応をしなかった。そこで、私もどうするのか、考えた結果です」

六月九日のデモは一〇三万人の参加者と言われていたが、一二日に逃亡犯条例の審議を進めるという政府の対応は、民意を完全に無視するつもりだったのだ。「力ずくでも止める」と、

催涙ガスに巻き込まれた一般市民をケアする救急ボランティア（福田のぞみ撮影）

彼女は決心した。

「私は、母子家庭で下に弟がいます。母は政治には無関心で、弟はゲームにしか興味がない様子です。私がデモに出かけているのは知っていますが、それを家族で話したことはありません。お互いに話をしないようにしていました」

彼女は大学に進学したが中退。現在は会社勤めをしている。デモ参加の翌日は休むこともあるが、そのまま出勤することもあるという。ちなみに交際中だった彼とは、政治観の違いから別れることになったそうだ。

「香港の現状については、ずっと危機感がありました。それでもどうしたらいいのか、よく分からなくて。そうした中、今回の逃亡犯条例が引き金でしたね。そんな人は多いと思います。雨傘に参加して絶望した人も、もう一度やらなければ、と思った人が多いようです」

そして、彼女も勇武派として、デモの最前線に立つ決心をした。

「怖いですよ。でも、私はやるって決めたんです」

すぐに仲間ができた。二人の男性が加わり、チームとなった。何とリーダーは彼女だ。六月一二日をはじめ、七月一日など、重要な局面にはほとんど参加した。催涙弾を浴びて目や鼻の奥が焼けるようになって咳《せ》き込んで、呼吸困難になりかけたり、プロテクター無しのときに催涙弾が直撃したこともあるという。被弾したのは、直前にバリケードにぶつかった跳弾であったため、いくぶんか威力は弱くなっていたのだが、それでも、痛みで悶絶《もんぜつ》したという。

「前線にいる場合は、他の二人の安全を確保しながら、撃たれないように進退を決めなければなりません」

ついこの前まで、普通の会社員でしかなかった彼女が、米TVシリーズの戦争ドラマ「コンバット！」のサンダース軍曹のようなことをやっていた訳である。前述のように小柄で華奢な彼女が、である。

「火炎瓶は使ってましたか？」

私の質問に、ちょっと間があったように感じた。

「火の魔法ですね」

勇武の若者たち独特の隠語だ。日本のメディアでは「激化する香港デモ」などのタイトルで、催涙弾と火炎瓶の映像がセットでニュースとなる。火炎瓶＝過激派というイメージが強い日本人にとっては、拒否反応を起こすアイテムだ。実際に、火炎瓶が飛び交うようになってから、香港のデモを見て「やり過ぎだ」という意見が私の周りでも聞かれるようになった。

「私は使おうとは思っていませんでした。それに、火の魔法は、人を標的にしたものではないのです」

警察署の門の前や、地下鉄の入り口、商店など。それぞれ抗議する理由があるものだと主張する。警察を相手にするとき、火の魔法は撤退のときに時間稼ぎなどに使うものであるとか。

興味深いのは、彼女も参加した一一月に行われた香港中文大学の包囲戦である。

中文大では、他からの勇武が大勢やって来た。彼女も含めて、中文大生ではない「外人部隊」という訳だ。勇武の拠点でもある大学を守りたいと、多くの応援組が集まってきた。

「でも、中文大学の学生とは、いろいろ行き違いがありました」

この戦いでの印象的な写真がある。朝まで続いた攻防でグラウンドに野宿している黒い勇武たちの姿だった。

「中文大学は学内に学生の寮があり、そのときに戦っている学生でさえ、自室に帰ってベッドで寝ていました。あの写真の中で野宿しているのは、他からの応援の勇武ばかりなのです」

そうした細かい亀裂から、深刻な対立もあったという。

「確かに、応援でやって来た人たちの中には、過激な人もいました。中文大学の中には、化学などの実験室もあります。そこに入ろうとして、中文大学の学生とトラブルになっていました。実験室にはいろんな薬品があるはずで、爆薬の材料になるものもあると。それで強力な爆弾などの武器を作ろうというのです」

これは中文大のデモ隊たちから阻止されたという。このことについて彼女に自分の意見を聞いてみた。

「どちらの立場も分かります。でも、六月以来、勇武の活躍で、ここまで来たと思っています。暴力と言われるかも知れませんが、それを使わないことには、警察も政府も止めることができなかった。私たちがいなければ、政府は逃亡犯条例を強行採決してしまっていたのではないでしょうか」

実は、中文大学に続く、香港理工大学の籠城戦にも参加した彼女は、そこで脱出に失敗して逮捕されてしまった。

「翌日は会社に出勤するつもりでした。見張っていた警察に所持品検査をされて、逮捕されてしまったんです。家族に連絡が行き、母が保釈の手続きをしてくれました。だから、現在、保釈中です。元々デモに対して、いいイメージを持っていなかった母とは、折り合いがうまくいかなくなって、それから家を出ることになりました」

今は部屋を借りて暮らしているという。恋人と別れて、家族とも決裂した彼女。そこまでして後悔はないのだろうか。

「まったくないですね。もう勇武として前線に立つことはないかも知れませんが、これからも、自分にできることを続けていくつもりです」

Fさんは力強く、そう断言した。この日は、一一月の区議会議員選挙の投票日の二日前だった。インタビューが終わり、日本から持参したお菓子をお礼にプレゼントした。女の子らしく、喜んでくれた笑顔。それが彼女についての私の最後の記憶である。


年が明け、爆弾を製造しようとしていて逮捕された抗議者のニュースがあった。勇武の一部は先鋭化し地下活動に移行しつつあった。驚くことに、そうした過激なグループの一つにFさんはいたのだ。

以下は紹介してくれた香港の知人から聞いた、彼女のその後だ。私の取材の後、彼女はある作戦に志願していたという。それは、自爆テロだった。

一一月の一斉逮捕により、彼女のグループは壊滅的打撃を受け、もっと強い武器を開発しようとする一方で、意見対立から内ゲバに近い状況になっていた。警察の捜査の手が迫る中、自爆作戦は頓挫したが、疑心暗鬼となったメンバー同士の対立で、彼女はグループ内での居場所を失った。Fさんは出国し、二度と香港の地を踏むつもりはないという。

自爆テロの実現の可能性が、果たしてどこまであったのか、今となっては分からない。恋人、家族に続き、ついに香港も捨てたFさん。彼女が言った「自分にできること」の意味をはかりかね、私は今でも混乱している。

女性の社会進出を支える存在

デモの現場では、二割から三割くらいは女性がいる。和理非でも勇武でも、みなそれぞれに活躍している。それは、元々、香港社会は、女性が活躍できる場でもあるからではないか。一般の会社などでも、彼女たちは男性と同じく仕事をこなし、活躍をしている。

政府や企業などでの組織に関してもそうだ。警察の機動隊の司令官が女性であるケースも目の前で見たし、何よりも香港のトップが現在、誰もが憎んでいる林鄭月娥（キャリー・ラム）であり、女性である。そうした、香港人女性の社会進出について、在日香港人であるジュン（仮名）さんに話を聞いた。

「キャリー・ラムは行政長官として、香港の母などと自称していますが、『誰もあなたのことを母とは呼びたくない』と揶揄されています。私は、彼女はキャリア女性ではないと思う。単に無能な官僚あがりなのです。香港人女性の代表とは見ないでください」

いきなり、厳しい答えが返ってきた。彼女の考えを聞こう。

「日本に来て驚いたのが、会社勤めをしていた女性が結婚や出産といった理由で、自分のキャリアを諦めることです。香港は女性が活躍できる場所です。そのため、私の母もずっと働いていました。だからでしょう。政治的なことを含めて、何でも父とは対等な関係で議論をしていました」

そう自分の家庭を説明してくれた彼女は、日本に留学して、そのまま日本企業に勤めている香港出身の女性だ。すでに日本に一〇年近く住んでいる。

「香港の中流以上の家庭ならば、住み込みの家政婦を雇えるのです。だから、女性も出産して早くに結婚前の仕事をそのまま続けることもできるし、家庭に縛られる必要がない」

家政婦は、日本ではかなりの収入がなければ雇うことができないが、香港だと、外国人の家政婦を比較的低賃金で雇うことが可能だ。インドネシア、フィリピンなどの外国人労働者が、香港には多く流入している。彼らは英語でコミュニケーションを取れるため、外国人とはいえ、雇用のハードルは低い。金融関係などに勤める子持ちの既婚女性だと、家事全般を任せる住み込みの家政婦を雇うことは一般的だという。

「だから、私も育ての母みたいな存在のフィリピン人女性がいました」

香港では日曜日になると、駅などの広場に、ピクニック用のシートを広げる人たちがいる。それら一団は、香港に来て働いている家政婦さんたちだ。住み込みで働いている彼女たちは、週に一度、仕事から解放される日曜日に、こうして故郷の仲間たちと会って懇親しているのだ。彼女たちは、香港にとってなくてはならない存在となっている。

「私は、彼女たちを雇用することに、ちょっと抵抗があります。家政婦斡旋《あっせん》の情報サービスには、事細かに彼女らのプロフィールが書いてあり、それを雇用主である香港人がチョイスするのです。同じ人間なのに、です。そうした外国人家政婦の制度の上にある香港女性の自由なのです」

彼女自身は日本に在住しているが、香港の民主派を支持しているという。しかし、香港にいる家族はそうではない。

「父は新界（ニューテリトリー）で電子部品関係の会社をやっています。中国本土と取引をしているために、考えはかなり偏っています。親中派ですね。会社は兄が継ぐ予定ですが、二人はデモに対して、まったく理解がありません。親戚もそんな人が多い」

彼女の父親の会社は、かなり成功しているようだ。そのため、香港でも富裕層にあたる収入があるようだが、そのことを彼女はいいこととは思っていない。

「香港には『離地』（レイデェイ）という言葉があります。地面から離れている、つまり、現実離れしている考えを持っている人たちのことです。私の父と兄は、本当にそうで、自分たちのつきあいがある人たちとしか話をしないから、民主派への理解は低いです。今、香港で起こっていることの何が問題なのか、分かってすらいない」

帰省するたびにケンカをしてしまうという。

「ただ、今の母親は、父が再婚した女性なのですが、私の話に理解を示してくれています」

そんな彼女の不満は、だんだんと見えてきた日本社会に対して向けられている。

「風邪でも出てこいとか、台風でも出社しろとか、やっぱり納得できませんよね。私の会社には、中国の大陸出身の社員もいるんですが、彼らは日本人のそういうところに理解があります。例えば、出張中の残業代について『出ない』ということを納得したのは、大陸の中国人と日本人でしたから」

日本人だと「しかたない」という理由で呑み込んでしまうことも、彼女は根本から考えて疑問をそのまま、口に出せるのだ。ジュンさんと話をしながら思った。こうした女性たちが、香港社会を変えていく原動力になるのだろう。

在日香港人たちの戦い

日本にも多くの香港人がいる。留学生もいるのだが、社会人として日本で様々な職業について日本社会の一員として生活している「在日香港人」も多い。私は、昔からつきあいがあるそうした在日香港人の人たちと二〇一九年九月以降、時々会っては、いろんな話を聞いて来た。そのときの彼らは、よくスマホを見ている。常に、いろんな連絡が、やりとりされているのだ。それは、香港からでもあり、日本からでもある。だが、この日のメロディー（仮名）さんはいつもと違っていた。週末に話を聞いていたのだが、心ここにあらずという感じだったのだ。

スマホを見ていて、ついに泣き崩れてしまった。この日も、香港では合法のデモなのに、いつの間にか警察の理不尽な中止命令が出て、多くの逮捕者が出ていた。

「連絡が取れなくなったのです」

彼女がずっと見ていたのは、テレグラムだった。彼女が支援している勇武の学生たちがいたのであるが、彼らとの定期的な連絡が取れなくなったというのである。これはそのまま「逮捕されてしまった」ということなのだ。

「すでに一度逮捕されていて、二度目はまずい。だから、今日は行くな、と言っていたのに」

二度目の逮捕で、実刑となると、最高一〇年の禁錮刑になる可能性もあるのだ。それまで泣き顔など見せたことがなかった彼女が、胸が張り裂けんばかりに泣いていた。日本にいる香港の人たちは、日本から様々な支援をしている。それは金銭的な支援や、物資を送るなどの支援以外にも、現地から日本に身を隠すためにやって来る抗議者のサポートや、ネットを介してのメンタル的なサポートなど多岐にわたる。

彼女も仲間数人と「家長」となっていたという。

「詳しくは言えないが、仲間数人と、三人ばかりの勇武の学生たちをサポートしていた。彼らの身の安全の方が心配だったのだが、今回も彼らは前線に行ってしまった」

立ち入って聞けなかったのだが、テレグラムでのやりとりは彼らの安否確認だったという。だが、それが途絶えたのである。

「日本にいると、私は香港人として何もできない。でも、香港のために戦っている彼らのために、なんとかしてやりたい」

実は、そんな在日香港人は多い。香港では買えなくなった、ガスマスクなどのデモ用の物資を大量に送ったり、金銭的なサポートをする人もいる。日本での収入のほとんどを現地に送金しているという人も珍しくない。

「日本にいる子たちも、病んで体調を崩す子が多いですよ」

香港の現場で起こっていることが、そのまま動画で生中継される。そこで繰り広げられる警察の暴力などは、見ていて身を切られる思いだという。香港にいるのであれば、その現場にも行けるのだが、日本ではそうもできない。

「日本からのサポートに見返りなんか求めていません。ただ、香港のためにやっているだけなんです」

香港の人たちと、在日香港人の彼女たちはずっと繋がっている。それは、生まれもルーツも、住むところさえ違うことがあっても、香港人というアイデンティティの中で培った、香港市民社会そのままの強さである。

香港人の涙

六月から始まった取材は、多くの香港人の涙に接することになった。最初は、抗議の自殺者だった。二〇〇万人デモと言われている六月一六日のデモの前日には、三五歳の男性が遺書となるメッセージを残して飛び降り自殺をした。政府庁舎にも近い現場には、祭壇が作られて、多くの人が手を合わせに列をなした。

私が香港にいた六月二九日にも女子大生が抗議のメッセージとともに飛び降り自殺をした。その現場近くには、やはり有志によって作られた祭壇が設けられた。そこに手を合わせるため、多くの人々が並んでいた。同級生なのだろうか、その場で泣き崩れる若い人も多かった。

香港のマスコミは、後追い自殺が出ることを懸念して、自殺については報道を自粛する。明確な遺書などのメッセージを残した抗議の自殺は二〇一九年だけでも一〇件程に上ると言われている。若い人ばかりが自殺をしているようでもある。彼らが命をかけてまで訴えたかったことは、いまだに実現していない。

だが、悲しみはそれだけではない。二〇一九年の夏頃から、明確な遺書がない自殺者や不審死が急増しているのだ。黒い服を着ている遺体や、デモ参加後に失踪した人もいた。どう考えても他殺が疑われるケースさえ珍しくない。しかし、現在の警察はそうした捜査を一切しない。それどころか、警察がその犯人ではないかとすら疑われている。

九月二二日に、陳彦霖さんという一五歳の専門学校に通う少女が、九龍半島南部の海上で全裸の水死体で発見された。彼女は、学校では水泳の高飛び込みの選手だったといい、全裸という状況から自殺とは考えにくい。しかも、デモによく参加していたという。遺体は司法解剖すらされず、すぐに焼かれた。警察は彼女について自殺と発表しているが、それを信じる香港市民はいない。

一一月八日には、周梓楽さんという二二歳の香港科学技術大学の学生が、郊外にある将軍澳（チョンクァンオー）の立体駐車場で抗議活動中に転落、死亡した。転落した直後、動けなくなった彼を前に、警察は救命活動の妨害さえしたという。救急搬送された先の病院で、彼は数度の緊急手術を行ったものの帰らぬ人となった。デモが始まってから、最初の自殺以外の犠牲者となってしまったのだ。その追悼集会は香港各地で行われ、数万の規模になった。年が明けてからも、陳彦霖さんと周梓楽さんの遺影が並べられた祭壇は香港各地で作られて、弔われている。

香港は二〇一九年六月以来、多くの涙を流し続けた。これから先も流し続けなければならないのだろうか。

雨傘運動で金鐘のブロックリーダーをしていた頃の葉錦龍（サム・イップ）氏

第五章 オタクたちの戦い

香港のオタク文化

香港は親日とよく言われている。日本企業の進出も多く、日本食の飲食店が珍しくなく、街には日本語が溢れている。しかし、そうした親日を培ってきたのは、どうやらトヨタでも、ソニーでもなく、日本の「オタク文化」ではないだろうか。私が出会った香港の二〇代から三〇代は、高確率で、オタクだった。オタクとまではいかないまでも、日本のマンガ、アニメ作品は、かなり身近な存在だ。彼らが好きな日本とは、アニメやマンガ、アイドルではないかとさえ思われる。私の個人的な感覚でしかないが、若者におけるオタクの割合は日本より香港の方が高いのではないか。

そして、香港オタクたちは、今回のデモでも独自の活躍をしていた。驚くのは、彼らにとってのアニメやマンガは、消費する物語ではなく、そのまま生き方にさえ影響を与えている存在であることだ。

「進撃の巨人」と香港の若者

二〇一六年。雨傘運動後の香港の7・1デモ。各政治団体のブースが並ぶのだが、その場で見かけたポスターに私の目は釘付《くぎづ》けになった。アニメ化もされた日本でも人気のマンガ「進撃

2016年の7・1デモの現場にあった「進撃の巨人」のパロディである民主派のポスター

の巨人」をモチーフとした香港の政治団体のポスターがあったのだ。巨人は梁振英《りょうしんえい》（当時の行政長官）で、その周りで（巨人と戦う）「調査兵団」が立ち向かっている図だ。「打倒中共走狗」とある。他の団体では、そのまま「進撃の巨人」と同じロゴで「進撃の港人」というバッジまで作っていた。女人街（ノイヤンガイ）にあるパチものキャラクターグッズではあるまいが、単に人気作品にのっかったのではなく、これは、香港の現実を表しているのだという。

「巨人は中国です。返還以来、一国二制度という『壁』によって『巨人』の侵攻から守られてきた香港でしたが、現在、香港の外周の壁はすでに突破された状態なんです。今は、一国一・五制度くらいになっていいます。巨人の侵攻から、ぼくらは香港を守らないといけない」

民主派として活動している香港人は、これらがただのパロディではないと語った。

この前年、銅鑼湾（コーズウェイベイ）書店事件が発生していた。言論の自由が保障されている香港では、中国本土では禁書扱いである体制批判や、政府要人のスキャンダルなどを扱った書籍が多数出版されている。これらは虚実ないまぜな内容の本も多いが、共産党幹部の人事などについて相当詳しい内容の本もあり、香港人だけでなく本土からの観光客にも人気だった。人事に関わる情報は、大陸でのビジネスでも有用な情報なのである。

そういった書籍を発行し、販売していた銅鑼湾書店の関係者五名が、この年の一〇月以降、次々と謎の失踪を遂げたのである。書店のオーナーや店長などの五人は、香港だけでなく、広《カン》東《トン》省やタイ国内での滞在中に消息を絶った。失踪した人々は家族に電話をかけて「無事」だけを知らせるなど、奇怪なことが続いた。書店のオーナーは過去のひき逃げ事件を中国本土に自首しに出向いたと中国中央テレビ（ＣＣＴＶ）で涙ながらの懺悔《ざんげ》までした。香港に戻れた人間もいたが、彼らはみな口をつぐんだ。失踪者の中には、英国籍やスウェーデン国籍の保有者もおり、なりふり構わない中国の強引なやり方が浮き彫りとなった。

事件発生から八ケ月後、このデモの前である六月一六日に、失踪者の一人、書店の店長であった林栄基は会見を開き、中国政府の中央専案組の人間によって拘束されて中国本土に連れ去られたことを告発した。中国国内で思想犯を監視、取り締まる機関は、警察組織である公安部、中央組織である国家安全部の他に、解放軍内などにもあり、さすがに警察国家の様相であるが、その中でも、中央専案組とは党幹部の直属で超法規的な権限さえ与えられている組織だという。返還から二〇年を待たず、一国二制度で保障されていたはずの香港の自治は、すでに壊されかけていたのである。

「だから、ぼくらは『調査兵団』にならないといけないのです」

自分たちをアニメの主人公に置き換えて奮い立たせているようなのが印象的だった。彼らにとって中国からの「進撃」は、現実問題だったのである。

「香港の市民生活はすでに中国という巨人に壊されています。富裕層からの投機的な不動産投資は地価を上昇させ続けていますし、香港経済は大陸からの観光客に依存して、商店街は中国人向けの貴金属店とドラッグストアだらけです。私たち世代はマンションの部屋も買えないでしょう」

香港経済が大陸への依存度を高めていくにつれ、香港の地価を上昇させ、結果、香港人の住宅事情を悪化させた。香港の若者は二〇代後半でも親と同居せざるを得ないという。外側の「ウォール・マリア」の壁が破壊されて、内側の「ウォール・ローゼ」に押し込められた人類のようなものか。富裕層型の大型巨人が地価を上昇させ、小型だが数が多い観光客型の巨人が街並みを破壊して、香港人を拉致してしまう中央専案組という奇行種の巨人もいるということか。――「進撃の巨人」の世界観に彼の説明を置き換えてみた。

説明してくれた彼は、このとき、具体的に戦う方法を知っていた訳ではなかったようだ。だが、二〇一九年、香港の調査兵団は、逃亡犯条例という再度の「一国二制度の防壁」への攻撃に対して、反撃を始めた。彼らは黒衣に身を包み、「超硬質ブレード」ならぬ傘を手に持ち、「立体機動装置」はなくとも、香港の街を縦横無尽に駆け回って戦っている。逮捕も恐れない、彼らの士気は調査兵団の合い言葉である「心臓を捧《ささ》げよ」並みに高い。これは、無理やりなたとえではない。「進撃の巨人」の調査兵団のシンボルは「自由の翼」というのだから。

雨傘運動は「コードギアス 反逆のルルーシュ」だった?

「進撃の巨人」という作品に触れていないとなかなか理解できない説明かも知れないが、前述の私のたとえで香港人の若者の心情をうまく理解できるのではないだろうか。この話を、ある香港人オタクにしたところ、彼から二〇一九年のデモと二〇一四年の雨傘運動、それぞれの参加者の根本的な違いを指摘する意見を聞いた。

「雨傘運動のとき、香港のオタクに支持されていた作品は『コードギアス 反逆のルルーシュ』でした、それが雨傘運動の後には『進撃の巨人』になったんです。これは、ただ人気の作品が変わったという訳ではなくて、香港人の心情的なものが、そう変化していった結果なのではないでしょうか」

彼の会話に出てきた「コードギアス 反逆のルルーシュ」とは、ガンダムシリーズのサンライズが制作したアニメ作品で、イギリスと思われる「ブリタニア帝国」の植民地とされた日本が独立を求めて抵抗運動を繰り広げる、というストーリーだ。その主人公、ルルーシュは、頭がキレて特殊能力を持っている反乱軍のリーダーである。彼の活躍で、強大な敵を翻弄していくのだ。あくまでストーリーは、主人公の活躍で進んでいく。植民地の独立運動という物語の設定は、香港の状況そのままにも思える。物語のラスト、日本もついに連邦制を実現して、主人公は「政治的目標を達成」する。悲壮なシーンも多い「進撃の巨人」より、こっちの方が支持されてもおかしくはないはずだ。だが、この「コードギアス」は、現在、それ程香港で人気がある訳ではないという。

「雨傘運動はやっぱりリーダーがいた運動なんです。そのときの参加者たちは、みんなリーダーについていけばいいと、どこかで考えていたんです。リーダーに期待するから、批判もする。そして、別のリーダーを今度は支持するようになる。結局、ずっと『リーダー待望論』だったのではないでしょうか。『コードギアス』は、リーダーがすべてを解決してくれています。それは、香港人にとって現実的でもないし、失敗だったとみんな気づいたのです」

雨傘運動終了後は、前記のように「進撃の巨人」が支持されている。映画のポスターなどをデモ隊にするといったパロディ画像はネット上に腐る程ある。主人公の活躍ではなく、個人それぞれが自分たちの問題として、巨人に対抗していく。戦死する可能性が高い調査兵団は志願制でもある。そんな物語が、現在の香港人の心に響いたのだろう。

実は、雨傘運動後に来日した「民主の女神」こと周庭（アグネス・チョウ）に、こう言われたことがある。彼女は日本のアニメやマンガのファンである。

「日本のアニメやマンガは、自分たちを抑圧する大きな敵に対して、反抗する物語が多いのに、なぜ、日本では社会運動が起こらないのですか？」

その問いに私は明確に答えることができなかった。どんな作品も日本人は消費しているだけなのかも知れない。

「ちびまる子ちゃん」と「ポケモン」の広東語アイデンティティ

二〇一六年、アジア圏で人気の日本発のコンテンツをめぐる二つの事件が香港で相次いで起こった。

「ちびまる子ちゃん」は、香港でも「櫻桃小丸子」として放送されており、現在でも根強い人気を誇る。二〇~三〇代は、テレビで見て育った世代で、思い入れもあるようだ。作中の日本のイメージを求めて舞台となった静岡まで足を延ばす香港人たちも多く、西城秀樹は劇中の人気歌手として描かれているが、度々香港公演を行う程人気だった。

二〇一五年末に日本で「映画ちびまる子ちゃん イタリアから来た少年」が公開となった。だが、その予告編を見た香港のファンたちの間では、大騒ぎとなった。タレントのローラが演じるシンニーという香港から来た女の子という設定のゲストキャラクターが、まる子たちの前で、香港の「ありがとう」を「シェイシェイ」と教えているのである。

香港人が日常話す広東語で「ありがとう」は「ドーチェー」である。香港から来た少女の北京語に多くの香港人は落胆し、激怒した。その声が伝わったのか、後に香港で公開された映画本編は、この点に対して対応がとられた。本編中ではシンニーには「ニーハオ」(北京語)というセリフがあったのを、急遽《きゅうきょ》、ローラではない声優によって「ネイホー」(広東語)に差し替えられたのだ。根強い人気の香港のファンに、さすがに制作側も配慮したのだろう。

だが、この後に、日本領事館への抗議運動にまで発展したケースもある。あの「ポケモン」である。二〇一六年に発売された「ポケットモンスター サン・ムーン」は、ポケモンシリーズのゲームソフトだ。その発売に先立ち、情報解禁がされていく中で、香港のファンにまたしても衝撃が走った。

元々、任天堂は世界各国で、ポケモンたちに、その地域の文化的背景などを加味した名前を与えているのだが、ピカチュウだけは、万国共通でピカチュウにすべく、世界の地域ごとの各言語で一番近い音をあてている。香港では長年「比卡超」（ペイカーチュウ）と表記、発音する広東語だった。それが、中国本土の北京語である表記と音である「皮卡丘」（ピーカーチュウ）に統一されてしまったのである。

たかがゲームではないか、では片づけられない問題として香港では報じられていた。特に、当時、注目を集めていた本土派の若い香港人たちにとっては、とうてい許せない問題であった。五月三〇日には、日本領事館に対して一〇〇〇人以上がデモを行ったのである。彼らの主張は「今まで馴れ親しんだピカチュウでなくなる」「世代間で共有できなくなる」「香港からピカチュウを奪わないで」というものだ。

日本人の目には、これが香港人の過剰反応と映るかも知れない。だが、そこは本土派が繰り返し主張する香港人アイデンティティと深く関係している。広東語は、香港で日常的に使われている言語だ。ちびまる子ちゃんの例でも分かるように、単語の一つ一つ、言葉自体がまったく北京語と違う。北京語の声調が四声であるのに、広東語は九声もある。そのため香港人と大陸人が話をしても、まったく通じないのである。広東語に関しては、中国の一方言ではなく、まったく別の言語であるとも言われている程だ。

かつての返還前の香港では、北京語を話すとバカにされたという。しかし、中国返還以降、普通話（北京語）教育が、香港の公立小中学校でも義務づけられるようになった。必修科目として扱われ、私立学校の中には、その普通語だけで授業をする学校まで現れている。

香港の街では、普通話の簡体字の看板が溢れ、大陸からの旅行者は大声で北京語を話す。また、現在、「新移民」と言われる大陸からの移民の中には、広東語を覚えるつもりがない「香港人」すら存在するようだ。将来的には香港の公立学校の国語教育は「普通話（北京語）」に統一しようという話まであるという。

広東語をめぐる環境は、大陸側はもっと深刻だ。広東語はその名の通り、広東省を中心に使われている言語である。広東省、香港、澳門《マカオ》を中心に七〇〇〇万人の話者がいると言われている。また、華僑《かきょう》と言われる海外華人の間では一番使われている言語でもある。しかし、その広東語が、広東省ですら北京語にとって代わられようとしているというのだ。義務教育では北京語の比重が増し、街頭の標識も北京語が増えてきた。そして、テレビ放送を北京語だけで行おうとしたことから、二〇一〇年には広州市で一万人以上が参加する「広東語保護運動」のデモも発生した。これを受けて、香港でも支援のためのデモが行われた。

日本の二六倍の国土を持つ中国では、ずっと様々な言語、方言が存在しているが、義務教育などが普及することで、現在は、北京語に統一されようとしている。これは香港人に言わせると「北方の満州人が使っていた方言である北京語が、普通語になってしまった」ということなのだ。また、書き文字として、中華人民共和国成立後に制定された簡体字は、繁体字を使う香港人にとっては「教養がない『蛮族』の文字」だという。

今回のデモの取材のために現地入りした日本人ジャーナリストが、デモ参加者に対してなまじ勉強していた北京語で話しかけて、無視をされたり、反発を買うケースが多々あった。民主派、本土派を自認する香港人にとって、北京語は忌むべき言葉であり、理解できても使いたくはない言葉なのだ。

なお、ピカチュウに関しては、現在、香港で売られている「ポケモン」の最新ソフトでも、「皮卡丘」（ピーカーチゥ）のままだ。

香港ネット民たちの戦い

前章で、女性に対して的外れな文句を言っている連登仔について書いたが、実は、彼らが書きこむ連登（ＬＩＨＫＧ）討論区という香港のネット掲示板は、今回のデモで大きな役割を果たしている。リーダーがいない運動である今回のデモでは、ネット空間が、議論の場であり、様々な作戦を立てる作戦会議室ともいえる場所なのだ。空港閉鎖や、大陸系金融機関からの預金引き出し、人の鎖など、今回のデモが始まって、いろんな作戦がこうしたネット民のアイデアから始まったと言われている。

時に、そうしたネットで作戦を立案するのが「エアコン参謀」と呼ばれるネット民である。

この連登（ＬＩＨＫＧ）討論区の中で、様々な意見を出して、現在はデモに貢献しているといえる存在だ。名前の通り、エアコンの効いた部屋から意見を言うヤツらとして、当初はデモ参加者からはよく思われていなかったが、これまで様々な作戦を提案してきたため、一定の評価を得ているようだ。

同時に、「キーボードファイター」という活動を行うネット民も存在する。彼らも、実際のデモの現場に出るのではなく、電脳空間で戦っているという。それは、世界中のありとあらゆるネット掲示板への書き込みだけでなく、ネット民らしい戦いを含む。

北京政府は「五毛党」というネット工作員を大量に雇っていると言われている。日本のツイッターなどでも過度に中国寄りの意見などを書き込んでいる日本語が不自然なアカウントが、その五毛党だと言われているが、真偽の程は確かではない。だが、最前線である香港の場合は、ネット空間でさえも、すでに戦場となっていた。

現地紙などの報道によると、七月下旬のことだ。本来香港のサイトは閲覧できないはずの中国大陸から、香港の民主派のサイトなどに大量の書き込みが行われた。「聲援香港警察」（香港警察を応援する）や、「支援何君堯」（何君堯を支持する）などの、デモ隊の神経を逆撫《さかな》でする書き込みだった。当時は、元朗（ユンロン）での親中派が警察と結託してデモ参加者などを襲ったという事件で香港市民の怒りが頂点に達していた時期である。何君堯とは、地元の親中派の暴漢と警察署を結託させたとされる、この元朗事件の黒幕と目される立法会議員だ。

どうやら中国大陸の非常に愛国的なネット民の仕業によるものだという。これに即応したのが、香港ネット民だった。すぐに「起底組」という特定班が組織され、大陸側の一連のネット攻撃の呼びかけ人などの身元をクラッキングした上で、ネット上で公開処刑した。本名、住所、電話番号はおろか身分証番号にネット通販の購入履歴、預金残高までが晒されたという。そこまでにかかった時間はわずか数時間。香港ネット民の反撃はとどまることを知らず、そのまま個人情報を使って様々な嫌がらせを行った。何と人民解放軍に志願登録までされていたとか。その結果、大陸ネット民は、早々に白旗をあげ、香港ネット民の完全勝利となったのだ。

ここまで一方的な勝利となったのは、大陸のネット利用が実名登録制を取っているからだという。すべてのネットの利用が実名で監視されてしまっている中国大陸のネット環境では、実は、こうした個人情報などを抜きとることは簡単だと言われている。香港のインターネットは日本と同じく、実名登録制ではない。

平時であったら、ネット上での流出情報の特定などに力を注いでいると思われるネット民たちは、その後、デモ隊に対して過度の暴力を振るった香港の警察官などの個人情報をも特定していき、黒警リストとしてネット上で「公開処刑」していった。

エアコンの効いたパソコンの前からでも、民主のための戦いはできるようだ。

オタクの勇武派

全身黒で覆面をして警察と衝突する「勇武派」と呼ばれる若者たち。彼らの活躍は前述の通りである。だが、その中にも、実は、多数のオタクが含まれているようだ。

七月の立法会突入の後、私はそんなオタクの一人と知り合えた。彼は自分を「シンジ」と名乗った。彼が初めてハマった日本のアニメ「新世紀エヴァンゲリオン」の主人公・碇《いかり》シンジから取ったらしい。香港人は大陸の中国人とは違い、イングリッシュネームを名乗る。それに飽きたらず、彼は日本式の名前を周囲に言っているのだ。まったく「またお前らか」の世界の住人だった。

待ち合わせの場所に現れた彼は、開口一番、先日のデモでの危機一髪を語ってくれた。

「警察が催涙弾を水平撃ちして、私たちを狙ってきてたんです。それが胸に当たってしまって。プロテクターがなかったら、本当ヤバかった」

催涙弾とはいえ、火薬で発射されるので、人体に当たると、かなりの衝撃だ。運良くプロテクターに当たったのだが、彼は、その場で悶絶したという。銃器を相手に命拾いをした、という日本ではなかなかないシチュエーションなのだが、彼は飄々《ひょうひょう》と話をする。話の内容と、目の前の彼の雰囲気とのギャップが、どうしても私の頭の中で埋まらない。そんな彼の勇武派としての活動を聞くことにした。

「今は家出中です。両親は私がデモの現場に行くことを許してくれず、ケンカしました」

大学進学を一旦保留にした彼は、逃亡犯条例が問題になった春頃から、今回の反対運動に参加している。六月九日の一〇三万人デモでは、夜になり、一部のデモ参加者が警察と小競り合いを起こしたというが、その場にも居合わせたという。その後のデモの現場には、ほとんど勇武として参加している。最古参の勇武の一人である。彼の両親は、そんな彼の行動を心配して、デモに行くのを止めるように言ってくるのだとか。両親と決裂して家出した彼は、この頃、友人宅に同志数人と寝起きして、デモの現場に通っていた。

この日は彼の二つの新兵器を見せてくれた。

「これを警官に照射して銃の照準を狂わせます」

まず一つは、市販品の強光量のマグライトだった。レーザーポインターとともに、彼らにとっては、武器なのだという。もう一つは「機械油のスプレー」だった。可燃性の油を可燃性のガスで噴出するため、ガスバーナーとして使えるのだとか。だが、どちらも実弾入りの銃器を携帯している警官隊と戦うにはあまり役に立ちそうではない。

こうした武器になるようなアイテムの情報は、ネットにあがってくるのだとか。彼のテレグラムは、そんな情報で溢れていた。その動画を見せてもらっている最中に、不意に彼のスマホに着信があった。彼の母親からだった。

「大丈夫です」

そう言ってその後の母親からの電話を彼は無視した。一人っ子という彼に対して、母親は心配でたまらないのだろう。彼いわく「うるさいくらいに電話が来るから、別にいい」と言う。

だが一方、その後通知があったデモ仲間のテレグラムの連絡網にはすぐに反応した。次の抗議行動の情報らしい。

「今から逮捕者奪還のため、警察署に抗議に向かいます。来ますか?」

ヘルメットなどの、本来は問題がないはずの物資の倉庫に警察の捜索が入り、民主派の関係者が逮捕されたのだという。警察署への抗議が呼びかけられている。これに反応した彼は、今から向かうという。私も、そのまま彼と現場の警察署に向かった。現地に向かうバスの中、彼は眠っていた。活動資金捻出のため、食事も充分ではなく、バイトをしている生活で、睡眠不足らしい。勇武というにはあまりに小柄で非力そうな彼は、警官に簡単に押さえ込まれるのではないか。そう思いながら現地に着くと、すでに警察署方向に人の流れがあった。

「黒警! 黒警!」(ハッゲィン! ハッゲィン!)

警察署に到着するやいなや、彼は警官に躊躇なく新兵器のマグライトを照射し、その横暴をなじっていた。抗議者が集まってくる中で、彼は最前列に陣取っている。マスクで顔をすっぽりと隠しているとはいえ、逮捕されれば、彼は特定されるだろう。現在まで様々なデモの最前線にいた彼のような勇武派には、暴動罪で最高一〇年の禁錮刑もありうると言われている。その覚悟を聞いたところ、さも当然のような答えが返ってきた。

「それは問題ではありません」

彼はそう平然と答えると、また最前線へ戻って行った。

実は彼はカタコトではあるが日本語を話す。それは、アニメから始まって、日本の地下アイドルにハマったからだった。彼の宝物だというアイドルとのチェキを見せてもらった。正直、マニアでなければ知らないであろう、本当の地下アイドルだった。そうしたアイドルのために、日本、というか、アキバに何度も通ったという。

日本の地下アイドルは、香港公演をすることもあり、先日は、来港した日本の地下アイドルのコンサート帰りに、デモ現場に直行した。そのときの黒Tは、そんな地下アイドルのためのオタTだったという。

オタクが勇武なのか、勇武がオタクなのか。

アイドルのDVDで士気を高める

実は、シンジ君とは、その後も、現場で何度か遭遇した。

黄大仙（ウォンタイシン）の警察署は、八月中、度々周辺住民を中心としたデモ隊に囲まれていた。警察が住宅地の真ん中で催涙弾を何発も発射した上に、デモ隊に紛れた警官が騒ぎを大きくしたことが発覚したからだ。抗議に集まった地元住民たちに対して、また催涙弾で「返答」したことも、さらに住民の怒りを買っていた。

駅前にあるこの警察署は、目の前に大きな車道がある。その車道から距離を取って、市民は抗議するのだが、警察署前にずらっと並んでいる警官隊に対して、集まった住民たちはいろんな挑発行為を行っていた。

警察署前を自家用車で何度もクラクションを鳴らしながら走りさる市民がいるかと思えば、マウンテンバイクで警察署前を激走しては、ぐるぐると回る少年に、警官隊が並んでいる直前まで、道路の真ん中を三段跳びで近づく若い男がいた。そして、極めつきは、何人かの若い男女が、手を後方に伸ばし、前のめりで走るという「ナルト走り」で警察署前まで行っては戻る、ということを繰り返していたことだ。この警察署前は、デモ隊による一種のパフォーマンスの場になっていた。

そんな黄大仙の警察署前で、完全に私服の彼と再会した。彼も同じように、警察署の前まで、走って近づいては、警官隊を煽って、戻る、ということをやっていた。その一団の中の彼と目が合った。

「あ、今日はいち市民ですから」

顔を隠す訳でもなく、彼は警察の前に出て、スラング交じりで挑発を行っていた。彼と行動をともにする同志らしい友人たちも一緒にいる。シンジ君が私を「日本人の記者だ」と紹介すると、なぜかみんなうれしそうだ。

「ぼくもオタクなんですよ」

「ぼくも、アニメオタク」

「ぼく、アイドル好き！」

「ぼくもです。日本大好き！」

いやいや、目の前はフル装備で警戒にあたっている警察官がいるんだが。あの日本人記者は、一体、何を話していると思われているのやら。

シンジ君の同居人の仲間たちとは、彼らのことだった。自己紹介通りのオタクだった。よく見ると、友人たちが持っている紙袋は、コミケなどのオタク仕様のやつだった。

またあるときは、これからデモの現場に行くという彼から写真付きのメッセージが送られてきた。「戦いの前」と仰々しいタイトルに添付された写真は、アイドルのコンサートのＤＶＤが再生された画面だった。みんなで見ているようだ。

——これからデモに行くの？

「はい。戦意を高めています」

――これは、アイドルでは？

「気合いが入ります」

もちろん、気合いの入れ方は人それぞれであるのだが。

そんな彼は、そのうち本当に自宅に帰れなくなった。彼の自宅に警察が来たというのだ。両親との不仲から始まった家出だったが、自宅に戻るのは逮捕の危険さえ出てきた。逮捕を避けたい彼は、一時期、香港のデモ隊のサポートが整っている台湾に行くとも言っていた。デモへの参加も自重するようだ。

ところが、連絡が少し途絶えたと思ったら、たいへんなことになっていた。

「シンジ君が、逮捕されました」

共通の知人である香港人から連絡が来た。自重すると言っていた彼は、いつの間にか、デモの現場に戻ってきていたのである。しかも、勇武としての現場復帰だった。逮捕されたのは、地下鉄の駅の構内。そう聞くと、太子（プリンス・エドワード）駅での八月三一日の悪夢がよみがえるが、別の日の現場だった。

逮捕時に失神するデモ隊

その日、シンジ君は全身黒で完全な勇武派の出で立ちだった。そのため、警察側も容赦ない攻撃を加えてきた。いつもは仲間と行動するのだが、このとき、彼は仲間とはぐれてしまった。そのまま、警官に囲まれて、逮捕されたのだ。警官に押さえつけられ、制圧されている様子を香港メディアが記録していたという。

「息ができませんでしたよ」

香港の警察官の逮捕術は、相手の自由を奪うために全体重を押しつける。それは頭でも首でも胸でもお構いなしだ。彼はそのとき「本当にヤバかった」と言う。警官に「逮捕」を告げられているのだが、その後、彼は本当に気を失ったのだ。

「目が覚めたら、病院で『見知らぬ、天井』でしたよ」

ここで、得意気にそれを言うか、というシンジ君だった。エヴァンゲリオンファンならば、誰でも知っている第弐《に》話のタイトルをうれしそうに語った。彼は、意識がなくなったために、逮捕後、念のため病院に運ばれて、CT（コンピュータ断層撮影）スキャンにかけられたという。その最中に目が覚めた。

「すでに何時間か経っていましたが、それからも気を失うことにしました」

どうやったら、意識的に気を失うことができるのか、謎ではあるが、そうやって、彼は四八時間を意識がないまま、頑張り通して、釈放を勝ち取ったという。香港の司法制度では逮捕後、四八時間以内に起訴できなければ、釈放となる。

実は、逮捕時に失神するデモ隊は多い。目の前で逮捕劇が繰り広げられたときに、取り押さえられたデモ隊が失神して、結局、救急車を呼ぶという瞬間を何度か目撃した。見ているこちら側からすると、そういう対応をするマニュアルでもあるのかと思った。そのことについて、デモ参加者は、こう語る。

「一切、抵抗をしないということを示すためでもあります。また、胸とか首を押さえられて、そのまま『落ちる』ことも多いようです」

逮捕されたときに怪我などをした場合、警察は病院などに連れて行く義務があるようだ。そうしたことが、デモ参加者に利用されている印象も確かにある。逮捕後にすぐに救急車が呼ばれるところも何度も見た。だが、それは、警官の判断によるもののようで、彼が逮捕された時期は、命の危険がある怪我人を警察がわざと放置することも出てきた時期だった。彼は、比較的すみやかに病院に搬送されたようだ。運がよかったのだ。

ただ、彼は、この先の訴追と収監の覚悟はしているようだ。

「これまで、いろんな現場に私が参加していたからです。私は別件で逮捕されるでしょう。でも、それは問題ではありません」

オタクの彼と話していると、時々、デモの緊張感がなくなる。それが、自分の覚悟を語る瞬間、とてつもなく、かっこよくなる。

裁判所からの呼び出しに備えながら、シンジ君は今でも「和理非」としてデモに参加している。

オタクはクールな文化

「日本語を覚えたのは、アニメの主題歌や、恋愛ゲームで、まったくの独学ですね。だから、私の日本語は、時々『お嬢さま口調』が交じっていて『お前の日本語は変だ』と言われていました」

そんな笑える昔話を教えてくれたのは、本書の第一章に登場してくれた、雨傘運動で出会って以来の香港の友人・葉錦龍（サム・イップ）氏だ。彼は、学生時代からオタクの道を極めた人物でもある。独学で日本語を学び、日本でコンサート関係の会社で働いたこともある。そして、香港に戻って、オタク系のイベント関連の会社を立ち上げた。同人イベントや日本人アーティストのコンサートなどの興行まで行う彼は、その行動力で、香港のオタク界隈を支える一人だった。

そんな彼が香港の民主化運動に関わるようになったのは、雨傘運動が始まってからだ。彼の弟が参加していた金鐘（アドミラルティ）の現場に彼は駆けつけた。警官隊が集まった市民に催涙弾を発射していて大混乱になったときで、混乱のうちに、まさに雨傘運動が始まった瞬間である。その現場に行った日から、ほとんど毎日をオキュパイのテントなどで過ごすことになった。彼は金鐘の現場の中のブロックリーダーとなったのである。

雨傘当時の彼は、忙しくて切らないのか、もとからなのか髪の毛がボサっと長く、メガネをかけた、見た目も冴えない青年だった。俳優の山田孝之が演じた映画「電車男」の主人公によく似ていた。だが、彼には社会運動家としての適性もあったと思う。金鐘の駅前などで、マイクを握って演説をしているところも見たことがある。なかなかエネルギッシュだった。

このとき、現場で活動している彼の友人とも何人か会ったのだが、みんなオタクだった。私にとっては、そのことがちょっと不思議だった。どうして、香港のオタクはこんなに政治に関係するのか。

「香港は日本と状況が違いますからね。関わらざるを得ないのです」

中国返還の日から北京政府に裏切り続けられていること。香港の街が大陸からの観光客に占領されつつあること。経済的にも依存してしまっていること。親世代とは違って、今は一生働いても、若者は不動産を買うことが絶望的なこと。今でも続いている香港の問題については、ひと通りのことは彼から聞かせてもらった。

雨傘運動の現場を案内してもらっているときだ。オキュパイしている道路上には、様々な落書きがしてあったのだが、そこは記念撮影ポイントになっていた。その頃、卒業シーズンの大学生たちが、式が終わって記念撮影をしていたのである。「鋼の錬金術師」だった。地面には魔法陣が描かれていた。そのことを話していると、サム氏に訂正された。

「これは、『錬成陣』です。魔法陣ではないですね～」

そのとき、私は確信した。あ、この物言い、こいつ、オタクだ。サム氏にとって「鋼の錬金術師」は、ハマった作品の一つだという。

サム氏に、アニメやマンガなどを含む日本文化がなぜ、ここまで受け入れられているのかなども聞いた。

「小さい頃から、日本のアニメは身近な存在なのですよ」

香港のテレビの夕方の枠は、ともすれば、日本のアニメをそのまま日本語で流すというのである。「香港の人口規模だと、独自の子ども向けコンテンツを製作できない」とも言う。日本人が思っているよりも、香港人は日本のオタク文化が大好きだ。アニメやマンガに始まり、美少女ゲームなどに進み、もっと深い同人関係などまでいき、そのまま沼にハマってしまう香港人オタクも多いという。なお、サム氏は例年、夏冬のコミケに参加している。二〇一九年の夏コミは、デモの合間をぬって、一日だけ参加していた。

香港社会一般との、こうした日本のオタク文化の距離感はなかなか興味深い。また、これは雨傘運動の最中のことだ。雨傘運動の現場で、腐女子と思われる女性が描いた、雨傘運動のリーダーと言われていた学生たちを主人公にしたマンガが話題になっていた。ポスターとして配布されていたのだが、絵柄はどう見ても、日本のBLである。黄之鋒（ジョシュア・ウォン）と、周永康（アレックス・チョウ）が現場についての話をしているようなのだが、なぜか二人の距離は近い。おいおい、見つめ合うのかよ？

その後、このチラシは、香港の日刊新聞「蘋果日報」（アップルデイリー）でも紹介されてしまっていた。いやいやBLをそのまま掲載する新聞って香港はアリなのだろうか。サム氏に聞いてみた。

「香港ではBLも、日本文化の最先端と受け止められているんですよ」

当時もクールジャパンという掛け声だけは日本で言われていたが、日本では腐女子がひっそりと楽しむBLも、香港ではクールな文化なのだ。

このように雨傘の現場でもオタク文化はポスターなどにいろいろ反映されていた。

そびえ立つ中連弁

サム氏の見た目はオタクだった。だが、彼は運動の現場では、いつも最前線にいた。雨傘運動では多くの仲間たちと、最後の日まで戦い抜いたのだ。

雨傘運動最後の日から、二ケ月近く経った、二〇一五年の二月一日のデモで、雨傘以来のサム氏とひさびさに再会した。現場にいた彼は、何やら大きなリュックを背負って、金鐘のデモの終着点近くに数人の仲間といた。リュックの中身は、ガスマスクやヘルメットにテントなどだったという。

「これは『状況』が始まったら、またオキュパイが始まるかも知れないと準備しているものなんです」

日本のアニメの戦闘シーンなどでよく使われる「状況」という言葉を使っているのが、何とも彼らしい。雨傘が終わっても、彼はまったく諦めていなかった。そして、サム氏は、この時期に決断をしていたようだ。それは、より自分たちの声を政府に届けるための、区議会議員への出馬だ。

香港の区議会議員は、議員とはいうものの、立法する権限がなく、あくまで地区の行政区の諮問機関的な存在だ。だが、それだけ地域密着だと言われており、地元の有力者である親中派が当選することが多かった。投票率はそれ程高くなく、賄賂まがいの品が有権者に配られるなど、当選の鍵は地元のお年寄りが握っているような選挙だった。

彼は、二〇一五年秋、生まれ育った中西区から立候補した。結果、二八歳の初挑戦は、五〇〇票差で負けた。

雨傘以降、政治活動を始めた傘兵と言われる若者たちは、続く二〇一六年の立法会選挙などで、議席を確保するなどしていたが、次々と資格停止などの憂き目にあい、二〇一八年の補欠選挙では議席を落とすなど、民主化運動の退潮も経験していた。だが、その間も、サム氏は、ずっと社会運動を地道に続けていた。また、自身のレベルアップを考えて、通信制の大学にも通い始めていたのだ。

二〇一九年の六月九日以降の運動では、立法会議員のスタッフとして働いていた彼は、大規模なデモにはいつも参加していた。彼は「和理非」としての活動を徹底していたが、時には、警察官の暴力に晒されることがあった。七月に沙田（シャティン）のショッピングセンターで発生した警察によるデモ隊への無差別暴力事件では、彼は警官に殴られ、階段から蹴落とされた。また、九月に入って、周庭、ジョシュア・ウォンなどに続いて、警察に逮捕されもした。公務執行妨害と器物破損だというが、言いがかりだった。後に、釈放されて起訴はされなかった。彼は、決して引かなかった。

そんな彼が、こうした運動自体が「盛り上がりがずっと続くとは思っていなかった」と言う。これは、少し意外だった。

「長引いたのは、結局、政府がまったく私たちの要求を受け入れなかったからです」

雨傘運動の盛り上がりと、停滞、分裂などを経験している彼は、市民たちの支持がどうなるのか、冷静に見ていたのだろう。

このときすでに二〇一九年一一月の区議会議員選挙も、再び挑戦するつもりだったようだが、簡単に勝てるとは思わず、激戦を覚悟していたようだ。実は、彼の選挙区である中西区には親中派が多い。それには理由がある。北京政府の出先機関である中連弁があるのだ。

最寄り駅である地下鉄の西営盤（サイインプン）駅から外に出ると、自動車関係の整備工場などがあったり、乾物屋が並んでいるなど、なかなかの下町だ。実は、政府機関が集中している中環（セントラル）から少し距離があるこの場所に、北京政府の出先機関という重要施設があるのは、その昔、英国植民地時代に、中国の国営通信社・新華社の香港支局として開設されたからだという。当時の植民地政府との微妙な距離感が表れている感じではある。

そんな生活感がある地区に、一つだけ、いきなり高層で中国の国章をつけた中連弁がそびえ立っているのだ。実際に、彼に案内された中連弁は、彼の自宅からも目と鼻の先だった。だが、それは、自然と住民に親中派が多くなるということでもある。

2019年11月　選挙活動中のサム氏。現在、区議会議員として精力的に活動中（中村康伸撮影）

政治を動かしつつあるオタクたち

選挙はなかなか苛烈だったようだ。票田であるはずの集合住宅によっては、その管理組合が親中派であると、ポスターを貼ってくれないことさえあった。また、街頭のサム氏の選挙用のバナーには、「暴力戦闘派」「親日分子」「中文大学の暴徒」などの中傷やデマまで書かれていた。彼はデモには参加しても、「和理非」の活動しかしていないにもかかわらずである。

ちなみに、サム氏は、日本語が堪能で、日本の文化、サブカルチャーなどに詳しくはあるが、親中派が言うような「政治的な親日」ではない。どちらかと言うと、汎民主派に近い考えすらある。彼は、以前、釣魚島（尖閣諸島）問題などに関しては、日本人である私に対してもきちんと主張をしていた。

一一月二四日の投票日、投票締め切り早々にサム氏の当確が出た。出口調査では圧倒的だったようである。この区議会議員選挙、現地で取材していたのであるが、どの投票所でも香港市民は早朝から列を作り、自分の意志を一票にこめるために並んでいた。何と、最終的な投票率は、七一・二％だった。ちなみに前回、彼が落選したときの投票率は四七・〇％だった。前回から二〇ポイント以上も投票率が上回ったのである。

結果、区議会議員全部の議席数四五二議席中の三八五議席が、民主派となったのである。前回の選挙までは、約七割が親中派の議席だったものが、一気に形勢が逆転して、八割五分以上の議席確保という、地滑り的大勝利となったのである。区議会議員選挙は小選挙区制で争われるために、こうした結果となったのであるが、このことは、香港政府にも衝撃を与えた。

当選した区議会議員の任期は翌年一月からである。年明けの就任式を経て、サム氏は中西区の区議会議員として働き始めた。初日には、デモに関係する犠牲者のために議員一同で黙禱《もくとう》を捧げた。これは、民主派が多数を確保したからこそできることだろう。

そして、議会が始まって早々のことである。区議会に出席した鄧炳強警務処長（香港警察のトップ）に対して、サム氏は緊急動議を提出したのである。香港警察の様々な暴力行為、違法行為などを放置していたことに対しての警務処長の辞職を求めるものだった。前述の通り、区議会議員は議決などの権限はない。しかし、今回の選挙で当選した彼らは、市民の民意を背負っているのだ。多くの香港市民が警察に対しては、憎悪に近い感情を持っているのである。彼はそれを緊急動議という形で叩きつけた。

結果、警務処長は、席を立って帰ってしまった。議会を後にするそのときの憎々しげな鄧炳強警務処長の表情とともに、このことはその日の大きなニュースになった。香港警察には暴力も受けたし、逮捕もされた彼は、きっちりとお返しをした。なんか、カッコいいのである。

繰り返すが、彼は今でもオタクだ。この二〇日程前には、例年の通り年末の東京ビッグサイトで開催されるコミケに参加していた。

香港のオタクは、政治さえも動かしつつある。日本のサブカルチャーであるオタク文化が、ここ香港では、ここまで若者を運動に焚《た》きつけるだけのポテンシャルを持っている。

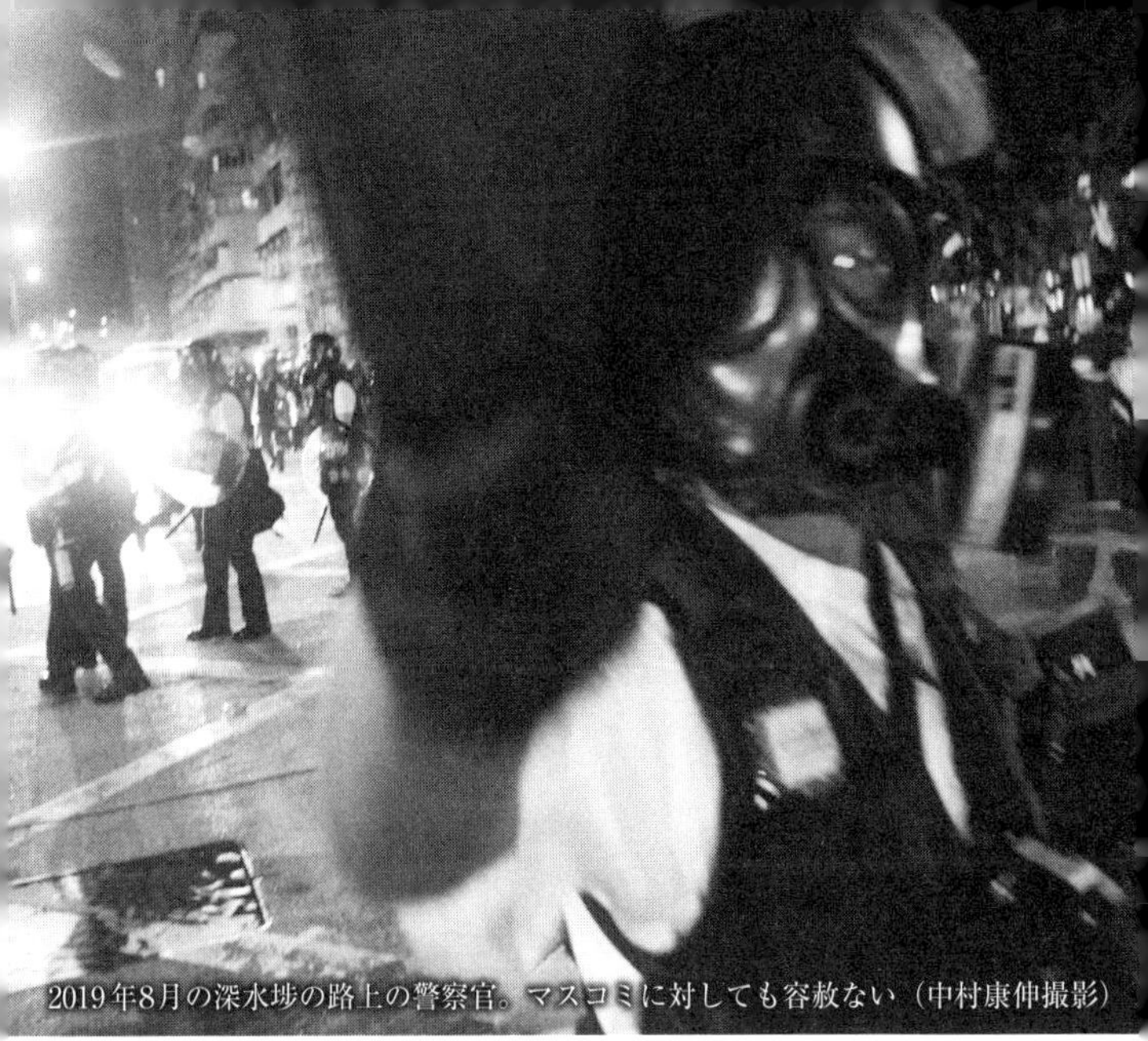

2019年8月の深水埗の路上の警察官。マスコミに対しても容赦ない（中村康伸撮影）

第六章

敵たちの実相

香港の警察はいつから、変わったのか

雨傘運動で、金鐘（アドミラルティ）の現場が撤去された日、封鎖された外側で、一人のおばさんと若い警官が佇んでいた。

警官は素顔を晒して、認識番号を肩に表示している。民主派支持なのだろう、警察や政府の対応に納得がいかないおばさんは、ひとしきり警官相手に文句を言っていた。その市民の訴えを目の前の警察官は、受け止めていたように思える。うなずきながらおばさんをなだめているようだった。数度のやりとりのうちに、警官もおばさんも黙ってしまった。

このとき撮った誠実で優しそうな印象のこの若い警察官の写真を見ていると、今の香港警察に、一体何が起こってしまったのか、私も混乱してしまう。お互いに顔が見える距離で、本音で話ができるのは、二〇一四年だからなのだろうか。この警官は、現在でも警察に勤務しているだろうし、現場にも出てきているかも知れない。だが、顔を隠して、認識番号すらも見えない現在の警察の中で、彼は勤務を続けていることができているのか。

私が二〇一九年の香港を取材して、一番違和感を覚えたのは、こうした警察の変質だった。雨傘運動の現場にいた警察官は、みな素顔で対応しており、少なくとも、私には紳士然としていた。突発的なデモに備えて警戒中の警察官でさえ、私が観光客として道を聞いたら、丁寧に

2014年12月　金鐘の現場が撤去される日、抗議する女性の話に耳を傾ける若い警官

教えてくれた。雨傘運動では、デモ隊に対して、不必要な暴力を振るったとして、後に処分を受けた警官さえいた。この頃の香港警察や政府には、まだまだフェアネスがあったのだ。

香港の警察に何が起こったのだろうか。

追いつめられる警察

かつての香港警察は、英国の植民地警察として、あまり評判がよくなかった。八〇年代の香港映画などで、市民から賄賂を取ったり、弱いものいじめのチンピラ的な悪役として度々登場していたのは、その名残だという。現在の香港のデモで必ずといっていい程警察にぶつけられる「黒警」という言葉は、元々が、当時、「三合会」（香港マフィア）との癒着を問題視されていた香港警察への罵倒の言葉である。

こうした賄賂などで私腹を肥やす警察官に対して、一九七四年に汚職を摘発する外部機関である「廉政公署」が設立されてから、劇的に香港警察は改善された。この廉政公署は警察とは独立して、捜査権まで持っていたため、賄賂などの汚職警官が次々と摘発されたのだ。徐々に市民の信頼を得ていった香港警察は、香港映画の中でも、敵役ではなく主人公側として描かれるようになった。ジャッキー・チェン主演の映画「ポリス・ストーリー」などを記憶されている方は多いのではないか。犯罪に対しての捜査能力も評価されていき、香港の治安のよさと同時に、ロイヤルポリスとして世界に名を馳《は》せるようになった。

警察は雨傘運動以前のデモでは、政府への抗議に対して、市民の立場を尊重して、中立的な態度で警備をしていたと言われている。雨傘運動では当初こそ、催涙弾の大量発射で市民の敵となったが、その後はヘルメットに盾などのフル装備での出動はほとんどなかった。強制撤去の日ですら、顔出し、認識番号ありで、整然と行っていた印象だ。

だが、二〇一九年からは、その香港警察が市民にとって憎悪の対象となっていった。序章に記した通り、六月二一日には、大規模な抗議活動で、香港警察本部が包囲された。集まったデモ隊は口々に警察を罵倒していた。

現在では、デモ隊は警察と戦っているといってもいいくらいだ。六月一二日以来のデモ制圧のための催涙弾の多用、沙田（シャティン）のショッピングセンターでの無差別暴力（七月一四日）、元朗（ユンロン）白T軍団との共謀疑惑（七月二一日）に加え、女性を逮捕する際に下着を脱がせた性暴力（八月四日）などが次々と発生し、日々批判の声が強くなっていった。警察の暴力行為についての独立調査委員会の設置は、デモの要求の最重要項目になっていき、八月一一日の尖沙咀（チムサーチョイ）で、女性民間救急隊員の右目へ至近距離からビーンバッグ弾を発射、結果、失明させたことによって、翌日一二日に、デモ隊は空港閉鎖という強硬手段を取った。翌一三日まで、二日間で六〇〇便以上が運休して、国際都市香港の機能がマヒしてしまった。九日から一一日までの三日間の空港での抗議活動は、座り込みという比較的穏健な手段だったのが、空港の完全閉鎖と過激化してしまったのは、警察の暴力が原因だったのである。

さらに警察への反発を決定づけたのは、八月三一日の太子（プリンス・エドワード）駅構内での無差別暴行と行方不明者騒動である。逃亡犯条例が完全に撤回された後にも、警察への抗議という形で、デモの焦点は変化しながら継続していったのだ。

結果、抗議活動がヒートアップする中で、各地の警察署がデモ隊に囲まれる事態も珍しくなくなった。警察こそが主要な敵となったのだ。

同時多発で発生するデモと警察署への包囲は、警察側も対応が難しかったようだ。市民たちが集まったかと思えば、いつの間にか、マスク姿のデモ隊が集まり、酷いときには警察署内への投石が始まる。警察車両ばかりでなく、個人所有の車さえ容赦なく石がぶつけられる。目の前で火炎瓶が使われたのを初めて見たのも、警察署に対してだった。

地域の警察署が抗議する地域住民によって包囲されるのを何回か実際に見たが、通常勤務の夜勤シフトの警察署には、どうやら総勢で二〇人程の警察官しかおらず、対応できる人員は一〇人程のようだ。そのため、大人数で押しかける市民に対しては、籠城するしか術がなくなる。出てきたと思えば、完全フル装備で救援の機動隊を待つことになる。

機動隊は、フル装備だと、ポリカーボネート製の重そうな盾を持ち、銃を担ぎ、腰まわりには催涙スプレーをつけて、膝にはプロテクターを装着している。それで走るのだから、本当によく転んでしまう。走るだけでも、たいへんそうだ。

結局、大通りなどに突撃するのだが、逃げ遅れた勇武もどきのデモ参加者か、目立った野次馬を無理やり拘束しようとして終わる。酷いときには、マスコミと言い争い、キレ気味に催涙スプレーや催涙弾を発射して帰るということさえ珍しくない。

その結果、そうした態度はまた市民の怒りを買ってしまうという悪循環になっている。

私は警察への罵詈雑言だけでも、多くを覚えてしまった。

「黒警」「黒社会」「狗警」（犬のおまわりさん）「残業代泥棒」「ＰＯＰＯ」（犬の名前、日本語の「ポチ」にあたる、ポリスともかけられている）。

だが、ちょっとドキっとした言葉がある。旺角（モンコック）の街かどだった。

「おい、お前ら、日本軍でもこんなことはしなかったぞ」

おじいさんの野次だった。日本軍の占領時代は、今でも苦難の時代だと伝えられているのだ。

市民みんなが敵に見える警察

深水埗（シャムスイポー）で取材していた、ある夜のことだ。

「お前ら、あいつだ、あいつがやっていることを撮れよ」

私たちマスコミに向かって、怒鳴っている警官がいた。指さす先には、離れた場所でバリケードを作って、警官たちに挑発的にレーザーポインターを当てている勇武たちの姿があった。

警察官としては、自分たちばかりがマスコミに悪く取り上げられ過ぎという意識があるのだろう。マスコミも警察からしたら、デモ隊とまったく同じものに見えるようだ。

実際に、香港のマスコミは親中派と言われるメディアであっても、少なくとも現場は、圧倒的にデモ隊寄りである。現場に出るのが若い記者が中心ということもあるだろうが、現場は報道の自由という香港の精神を何よりも大事にしている。

そういった記者も、警察から見ると、自分たちを敵としてしか扱わない奴らなのだ。

「身分証明書を見せろ」という警察に対して、ある記者が「委任状を示してください」と、警察に返した。法律で義務づけられている委任状の提示を、警察官に求めただけなのだが、すぐに逮捕されてしまった。

　自分の周りは敵ばかり、という思いに囚われている警察側から見た香港のデモは、また違う印象でもある。

　警察から見れば、和理非であろうが、勇武であろうが、自分たちを敵視している相手に変わりはない。実際に警察としては、市民を区別するのは難しい。デモ参加者から聞いた話では、「偵察隊」として警察の動きを勇武側に伝える、見物人、マスコミ、救急隊の人間がいるという。機動隊の動きなどは、見物している野次馬に見える市民からもテレグラムなどに報告されているのである。勇武たちは、彼らの報告を見て、警察の裏をかくことも多々あった。

　マスコミもそうだ。商業メディアだけでなく、ネット系の独立メディアや、大学の学内新聞でさえ、香港は報道の自由を認めているために、一応、メディアとして扱うことになっている。だが、ネット系の独立メディアや大学新聞などに対して、警察はあからさまに敵意を持っていた。実は、大学新聞の記者が、突撃する警察官の前に立ちはだかり、その先にいる勇武をわざと逃がしたことがある。そのため、大学新聞の記者たちが逮捕されたこともあった。

　あるときは「和理非」で参加している抗議者が、別のデモでは勇武として参加することも珍しくないし、「和理非」での参加者でも時として暴力的な行為を行うこともあるのだ。警察としては、通りに出た瞬間に市民みんな敵に見えるようだ。

警察が市民から罵倒されるとき、どこかで聞いたメロディーが聞こえてきた。誰もが知るイギリスの童謡「ロンドンブリッジ」だった。その曲にのせて何度も歌われるのは、「殺進仔」(アイチョンガイ)という言葉だ。これは香港中学文憑考試で落第点を取って、進学を諦め、職業訓練組になった出来の悪い生徒のことを指すスラングである。つまり、その替え歌は、日本語だとこういう意味だという。

「落第組、落第組」「よい子は黒警にはならないよ」

これを香港のエリートである大学生のデモ隊から言われるのだ。進学したくとも諦めて就職した者もいる警官たちの学歴コンプレックスをきつくえぐってくるのである。

また、これは、親類に警察官がいるという香港人の話だ。

「夏頃から警察は、香港の悪の代名詞になっている。通常の職務中にも時として罵声を浴びせられる。ネットには市民からの悪口ばかりです。職場で同僚と過ごすときはまだいいのですが、問題は家に帰ってからです。マスコミが撮影する動画には、はっきりと警察の暴力行為が映っており、それを見た家族の目すら冷たい。そのため、家庭不和になって離婚となった警官も多いといいます」

八月二五日には、警察官の妻や親などの家族が主催したデモも行われた。そこでは「還警於民」(警察を市民の許《もと》に戻そう)と叫ばれていた。警官の家族の目にも、政府の対応はおかしいと映っているようだ。家族としても、それまで自分の夫や父は、香港の治安を守っているという自負があったはずだ。それが現在は市民の敵として、香港中から恨まれているのである。

「警察の家族には、いつか警察官が殺されるのではないかと本気で心配する声もあります」

だが、これについてデモ隊側からは、こんな答えが返ってきた。

「私たちデモ隊は警察の暴力は憎いです。でも、殺そうなんて考えてもいません。誰も警察の死を願っていません。ただ、林鄭月娥（キャリー・ラム）だけは違うでしょう。彼女一人だけ、警察で誰か死んでくれたらと思っているのでは？」

歴代最低支持率を更新中の香港行政長官キャリー・ラムは、北京政府に対して何度も辞意を伝えたが、却下されたという。そのため、この期に及んで強硬策を取らせるのには、警官から犠牲者が出て、世論の流れが変わることを期待しているのではないかとさえ言われているのだ。

抗議活動発生から一年が経過しようとしているが、いまだに警察は、市民の側にも、家族の許にも帰してもらえないようだ。

分断される香港

香港人に話を聞くとき、警察の友人については、みんな口ごもってしまう。ある二〇代の香港人女性の話だ。

「高校時代、校外活動で知り合ったグループと今でもSNSで連絡を取っています。その中の一人の男の子が警察に入っていました。ずっと、わりと頻繁にメッセージなどを交換していましたが、気がついたら、彼が先日グループから抜けていました。デモの話題になると、警察への悪口ばかりになっていましたから、彼もいづらかったんでしょうね。年に一回くらいは集まっていたんですけど、去年は集まれませんでした」

もちろん、その友人がデモ隊に対して暴力を振るっている訳ではないのだが、自分の組織が悪く言われていることに耐えられるものでもないだろう。警察官たちは、こうして、市民との接点すら失っていっているようだ。

警察官たちは、汚職を厳しく取り締まられる一方、優遇措置も受けてきた。彼らは専用の公務員住宅に住むことができるのだ。住宅事情が悪い香港で、警察官になることは、住居を確保する手段でもある。その待遇はかなり恵まれている。警察を退職した後でも、別の住宅に入居が決まるまで、そのまま警察専用住宅に住み続けることができるという。前述の知人の親類の一人は、警察を辞めて数年が経過しても、まだ警察専用住宅に住んでいるのである。

「だから、一度、警察に入ったら、警察の考えしかできなくなる」

警察官、その家族、警察支持の親中派たちは、こうして団結するようになるという。

香港市民は無意識に新しく知り合った相手が黄色（イエロー）か藍色（ブルー）か、「どちら側なのか」を考えるようになっている。それはデモをめぐっての立場、黄色（デモ隊支持）か、藍色（警察支持）だ。香港では今、そのことによって、すべての行動を定義してしまうようだ。

香港の取材相手と食事をするとき、「どちら側の店が近くにあるか」が重要になってくる。香港では、黄色い店、藍い店のリストがあり、まとめられたサイトではマップと連動しており、近くにどんな店があり、その店は黄色か、藍色かが表示されるのだ。

「黄色経済圏として、どうせお金を落とすならば、デモ隊支持の自分たちの仲間のところで、ということなのです。逆に親中派の店には、一銭も落としたくないと。飲食店から金融機関など、あらゆる店舗やサービスが、分類されているのです」

第三章で触れた通り、デモ隊に破壊される店舗は親中派で、この地図では、藍い店ということになる。日本のチェーン店である「吉野家」を、前述の通り、デモ隊支持の市民は避けている。そのため、二〇一九年一二月に香港に初上陸した「すき家」は、日本の運営会社が直接進出したため、デモ隊支持という訳ではないが、現在でも外に客待ちが出ている程の人気となっている。「牛丼は食べたいが、『吉野家』はイヤ」というデモ隊支持派の市民たちの救世主になったからだと言われている。

黄色い店は、心情的にデモ隊支持でも、さすがにそれを明確に宣言するには、いろいろとリスクがあるようだ。それでも、宣言した店については、市民たちが並んででも通うため、けっこう繁盛している。逆に、藍い店は、それまでは無自覚に通っていた市民たちがボイコットすることで、売り上げが低下して、閉店する店すら出てきた。

香港人たちの地図では、はっきりと分断が進行しているのである。

現在、問題となっているのは、個人などをこうしてリスト化することだ。市民や警察の間では、お互いのそうしたリストが作られているのである。

デモ隊は、詳細なリストを作成していた。「黒警リスト」として、デモの現場で暴力などを振るった警官を、顔写真と認識番号から特定して、名前と顔写真までをまとめていたのである。

一方、警察官と親中派は「暴徒リスト」として、抗議者、民主派記者などの住所、電話番号、家族の情報までリスト化しているという。

こうしたリストのネット上での公開は裁判所によって、違法行為と定義されたのだが、クロージングである建前のテレグラムなどでは、そのまま現在も存在するという。

こうした香港の現状に、香港人の知人がため息交じりに語った。

「今回の騒動が、政府が完全にデモ隊を押さえてしまって終わるか、それとも、デモ隊が要求を貫徹して終わるか、それは分かりません。でも、どちらの結末になるにしろ、香港社会は、もとのようには戻らないでしょう。社会が完全に壊れてしまっているのです」

こうなってしまった香港社会のその先に、一体何が待っているのか。

白T軍団による元朗事件の真相

デモ隊を敵視しているのは警察だけではない。親中派として警察を支持している市民も、デモ隊を明確な敵として認識している。親中派とは、幅広い言い方であるが、それぞれを細かく見ていくと、香港社会の深部が垣間みえる。親中派による、一つの象徴的な事件として、七月二一日に発生した元朗事件がある。

香港郊外の新界（ニューテリトリー）地区にある元朗は、直線距離だと深圳《しんせん》に近い位置にあり、近年開発された、元々は香港の田園地帯であり、奥地と言ってもいい地区だ。そこに住む住民は自嘲気味に語る。

「元朗は、香港では田舎の代名詞で『元朗の車は、牛が引いている』なんてことを言われるようなところでした」

ところが、地下鉄が通り、香港のベッドタウンとして開発され、現在は、駅前にはショッピングセンターがあり、高層マンションが建ち並んでいる。

七月二一日夜一〇時過ぎ、その元朗駅に現れた数百人もの白いTシャツにマスク姿の一団は、手には藤棒と呼ばれる武器などを持ち、駅構内に乱入して、帰宅途中の黒Tシャツを着たデモ隊だけでなく、無関係な一般市民にさえ暴力を振るった。この無差別テロとも言える凶行を警察に通報するも、共謀したかのように、この一団が去ってしまってから警官隊がやっと遅れて到着した。結果、妊婦を含む数十人の怪我人が出た。その一部始終は、マスコミの他に個人のスマホなどに映像として記録され、ネットなどで広く公開された。

無差別な暴力行為は明らかな刑事事件であるのだが、警察はあえて動かなかったばかりでなく、共謀している可能性も高いのだ。この事件によって市民の警察への不審は決定的なものになった。翌週以降、抗議のデモが強行され、元朗では警察とデモ隊が度々衝突した。

――そもそも、この白T軍団とは何者か？

「香港人の多くは戦後の大陸からの移民です。彼らは、そのはるか前から代々、そこに住み続けている先住民の一族なのです」

元朗付近に点在する村々は城壁で囲まれ、今でも武器を常備し、さながら中世の雰囲気を残すという。村民は縄張り意識が強く、村に対して何かあれば団結する武闘派だ。かつては清朝やイギリス軍とも争い、あくまで抵抗し、その結果、村人は自治と特権を手に入れたという歴史を持つ。戦時中、日本の占領下でも、日本軍の支配は及ばず、少兵力でこの村々に近づくことは軍が禁止していたという。

そんな元朗でも近年は、畑などはなくなってしまい、高層マンションが建ち並び、新住民が増えている。元々の村民も、村の古い家を出て、マンションなどに住むことも多くなったという。六月以来の反送中デモでは、元朗の新住民を中心とした若者たちも抗議活動に多く参加していた。また、他の地区と同様に元朗でも抗議活動が始まった。多数のポストイットに政治的メッセージを書いたものを駅などに掲示するレノンウォール運動だ。元朗駅でも、目立つ場所に登場して、市民が思い思いの言葉を貼り付けていたのである。

「それを見た元朗の村の有力者たちが『勝手なことをしている』と怒って、デモ隊に対して立ち上がったそうです。それに、警察や親中派の人間も相乗りしたようなのです。二一日の大規模デモの前々日あたりから、レノンウォールが壊されて、デモ隊を襲撃するという警告のポスターが駅前に貼られていました」

事件は予告されていたのだ。有力者の中には香港マフィアである「三合会」の幹部や、親中派の政治家もいて、デモ隊をよく思っていない警察などに話が通ったのだろうと言われている。彼らの利害が一致した。そのため、警察は市民からの通報に対して、まったく動かなかったのだ。

「村々の有力者は、商売や飲食店などをやったりしていて、香港の裏にも表にも通じています。若い人たちは地縁、血縁のため、大人の言うことを聞かざるを得ない。それでしかたなく参加している若い男の子も多かったと聞きました。私には元朗のある村に住んでいて前からデモに参加している友人もいます。彼が今回一番ショックを受けています」

村民というと、何やら弱者的なイメージがあるが、元朗の村民は、特権をもとに香港島の方で飲食店などの商売を行って成功している人たちも多いという。古くからの住民としてのネットワークからか黒社会の幹部さえもいる。元朗の高層マンションに引っ越してきた新住民に対しては、村の有力者であれば、圧倒的に強者の立場になる。

ちなみに彼女によると、村民で抗議者という彼が、二一日の襲撃に参加したのかは分からないというのだが、この事件以降、彼はデモからは遠ざかっているという。

この事件の後日談は、事件を考える上で、興味深い。この事件発生直前に、襲撃犯たちと親しげに話をしている様子が撮影されて、事件の黒幕の一人と目される何君堯立法会議員。彼も村の出身であるのだが、彼の両親の墓が荒らされたのだ。その報道に、日本の香港研究者たちが首をかしげていた。

「元朗などの香港の先住民の墓というのは、険しい山の中にあり、外部の人間からしたら、そうそう見つけられないはず。それを簡単に見つけて破壊するのは、どう考えても村の中の人間がやっているのではないか」

すると、仲間割れをしていることが考えられる。雇われた村民たちに約束の金が支払われなかったのではなどの憶測が語られていたのだが、真相は分からないままだ。

東京・千鳥ヶ淵での中国人との激突

北京政府は、当初こそ香港のデモを無視していたが、現在まで一貫してデモ隊を批判している。いわく、香港の学生たちはテロリストであり、外国勢力に操られて、デモを繰り返し起こしているというのだ。それを受け、中国のマスコミは、虚実ないまぜで、香港のデモをヒステリックに報道している。こうした中国での反発は想像通りではあるが、実際に香港のデモを見つめている中国人たちはどう思っているのか。デモの現場で彼らの本音に触れる機会があった。

それは八月一七日に、東京・千鳥ヶ淵で行われた在日香港人による「黒警還眼」のデモの現場だ。八月一一日の女性が失明した事件を受けて、香港警察の暴力に反対する抗議として、東京の千鳥ヶ淵で、六月九日に続き、二回目のデモが行われたのだ。抗議は、香港政府の出先機関である、九段下にある香港経済貿易代表部に向けて行われた。

そこに、六月には来なかった中国人たちが、香港人のデモの現場にカウンターとして現れたのだ。ベンツやBMWといった高級車が集合場所の公園に横付けされたかと思うと、カーステレオから大音量で中国国歌を流し始めた。それを立ち会っていた警視庁の公安の刑事が注意すると、今度は、五星紅旗を広げて、アカペラで中国国歌を合唱し始めた。その後、香港人たちが香港経済貿易代表部へ移動を始めると、罵声を浴びせ始めた。北京語での「香港も中国だ」

などのシュプレヒコールが起こっていた。

この場所は、皇居にも近く、靖国神社も目と鼻の先だ。だが、オフィス街でもあり、日曜日の昼間は人通りも少なく閑散としている。そこに突然、広東《カントン》語、北京語の罵声が飛び交うことになったのだ。近所に住んでいると思われる親子連れが訝しげに見ていった。公園の中にいるのは、香港人とその支援者の日本人など、おおよそ四〇〇人程。対する中国人は四〇人程だろうか。数は少ないのだが、彼らは勢いがあった。

後で聞いたのだが、北京語の罵声の内容はすさまじく、「香港を征服して、お前の母親を犯してやる」などとも言っていたという。北京語と広東語は、お互いにほとんど通じない。香港人は、ビジネスのためなどで北京語を勉強しているために、理解する人も多いのだが、このときは、ほとんどが無反応で通していた。中国人たちは、そんな香港人たちに業《ごう》を煮やして、ここにいるお互いの共通言語である日本語で怒鳴り始めた。

「バカヤロー」「コノヤロー」「マスクを取れ」

そう言いながら、スマホを香港人たちに向けていた。動画を撮って、中国のネットに載せるつもりなのだろうか。危険なのは、移動している香港人に対して乗ってきた車で威嚇するようなことまで行っていたことだ。こうした行為に、急遽、機動隊が応援で呼ばれた。何とも混乱の現場となってしまった。日本にいる中国人は七四万人、対する香港人は推計で一万五〇〇〇人程と言われる。ここまでの中国人たちの態度も、そうした人数的に圧倒しているためだろうか。

正直、ここまで現場が荒れるとは思っていなかった。機動隊がいなければ、本当に、乱闘などが発生していたかも知れない。

中国人たちに話を聞いてみた

押しかけてきた中国人たちも、様々な印象だった。車で来たのは三〇代くらいのカップルだった。彼らは日本でしっかりとした生活基盤を持っているように見える。五星紅旗を掲げて罵声を浴びせることに熱心なのは、留学生だろう。ノリ的にはパリピっぽく、盛り上がっている。目の前で繰り広げられる一触即発の事態を前に、大騒ぎをする連中とは距離を置いて、ちょっとオタクっぽい学生と思われる三人がいた。彼らに私は話しかけた。理系の大学に留学生として通っているという彼らは、日本の記者だと自己紹介をした私と話をしてくれた。

——香港人たちのデモはあなたたちにはどう映っている?

「香港も中国の一つなのだから、中国の法律に従うのは当たり前だ。それなのにデモを起こして、警察に暴力を振るっている。そんなことは日本でも許されないだろう。自分は北京の出身だが、香港人のこういうところが嫌いだ」

「空港まで閉鎖するなんて理解ができない。テロリストだ」

「日本人は彼らを支持しているのか。それはテロリストを支持するのと同じだ」

おそらく中国で学生を捕まえて話を聞くのと同じような答えなのだろう。話題を変えてみた。

――何で日本語を勉強しようと思った？

「日本に興味を持ったきっかけは、マンガやアニメ。好きなものは、『ドラえもん』『クレヨンしんちゃん』『ナルト』、いっぱいあるよ」

「自分はウルトラマンだった。最近のよりも、昔のウルトラマンやセブンなどが面白いね」

思わず「渋い。分かってるね」と、昭和のウルトラマン世代の私は、彼のセンスに驚いた。

――中国の方ではウルトラマンが人気なんだよね？　香港ではあまり人気がないけど。

「そう、あいつら分かってない」

最新のウルトラマンのCGと比べると、チープな特撮でも、作品全体のメッセージなどが好きだと言う。この点は私も同意見だ。彼はまだ二〇代前半だというのに。

「ぼくは『新世紀エヴァンゲリオン』。最初見たときはよく意味が分からなかったけど、あのアニメは衝撃だった」

今となっては、四半世紀近く前のアニメを見て、彼は日本に興味を持ったという。最初、こちらの質問に厳しい様子で答えていた彼らが、アニメ、特撮の話になったら、急に和んだ。何だか、このあたりは、香港人と同じだ。

——今、香港で抗議活動をしている学生にも話を聞いたんだけど、日本文化が好きな子たちがけっこういて、そんな話をした。もしかしたら、あなたたちも、彼らと話をしたら、話が合うかも知れないいんじゃないか。

「それはない」

「国を壊そうとしている奴らと話はできない」

「自分には、大学に香港人の同級生がいたが、デモが起こってからは、話をしていない」

彼らは私にひと通り話すと、五星紅旗を広げて国歌を歌っていたグループの方に合流した。

「自由」を求める中国人留学生

今まさに大声をあげているグループにはなかなか近づけない。声をかけたところで、立ち入った話はできないだろう。そう思っていると、香港人たちがシュプレヒコールをあげている香港経済貿易代表部の向かい側で静かにデモを眺めていた三人の中国人学生がいた。聞けば、文系の大学生と卒業生だという。大声を出しているグループと距離を置いているのが不思議だったので話を聞いた。

——大学では何を勉強している?

「私は大学で社会学を勉強していた。卒論のテーマは中国の農村社会」

彼の研究テーマを聞いて驚いた。実は、中国の農村問題は、格差が拡大している中国国内にあって、大きな社会問題であるからだ。農民暴動など、公に報道されない程センシティブな問題をはらんでいる。地方の農村では、外国人の立ち入りなどがあると、警察が飛んでくるところまであると聞いている。

——中国の農村では、農民暴動などが起きているでしょう。

「農村問題は、中国が二一世紀に解決しなければならない問題だと思います」

——農民たちの訴えには正当性がある？

「はい。だから、一国二制度を守りたいという香港人の主張も、私はある程度理解できる。しかし、あそこまで警察に対して暴力を使うなどは、まったく理解ができない」

彼は、中国の農村に対して、かなり強い問題意識を持っているようだ。その延長線上で考えると、香港人の主張にも一定の理解はできると言うのだが、現状の香港のデモには否定的だ。

「彼らがやっているのは、テロに近いのではないか。支持はできない」

おそらく、この場にいる中国人の中で、彼は、もっとも香港人を理解しようとしているのではないかと思った。

「自分はまだ学生。でも、そう思う。日本人は、そういう香港人を支持しているのだろう。それはおかしい」

私と彼の会話に入ってきた別の学生の言葉だ。中国人留学生同士の思想的な監視が行われているとも言われているのだが、彼らが強制されて言っているようには聞こえなかった。だが、ここが限界なのだろう。中国の農村に心を寄せることはできても、それを同じように香港には向けることができないようだ。

――日本に留学するきっかけは？

「日本の歌が好きで、日本語に興味を持ったことがきっかけだ」

そういう彼の好きなアーチストは、ＡＫＢ48などのアイドル系だった。和む話題だ。次の学生の答えは予想外だった。

「ぼくは自由。自由を求めて日本に来た」

――それは、社会のこと？　こうした政治的な主張もできる社会ではないの？

「いや、もっといろいろ、日本には自由があるんです。中国にはない自由が」

中国人留学生である彼の口から、こんな言葉が出るとは思わなかった。彼らなりに、中国で生活することに息苦しさがあるようだ。彼らは三人とも社会学で繋がっていて、目の前の光景に対して、彼らなりの答えを見つけようと、ここに来たように見えた。

デモが終わって流れ解散となっても、一部の中国人は、香港人に対して絡んでいた。その間に日本の警察官が入るのだが、ここで彼らが叫んでいる言葉が面白かった。

「おまわりさん、あいつらは、香港人が一割で、残りは台湾人と日本人だ」

「みんな時給をもらって、やっているんだ」

「アメリカからもらっているんだ」

香港で行われる親中派のデモに対しては、民主派からはいつも「時給が出ている」という話が出てくる。親中派も「アメリカが資金を出している」という批判をよくする。だが、ここ日本でのデモなのだが、なぜか日本が金を出しているという話にはならない。中国にとって、GDPの下の国ということなのだろうか。

日本で香港人がデモをするということ

八月二三日には難波《なんば》の髙島屋《たかしまや》前で、香港での「人の鎖」抗議活動と連動したイベントが大阪の在日香港人によって行われた。こちらの現場は東京よりさらに混乱を極めた。六〇人程の香港人側に対して、一〇〇人以上の中国人がカウンターとして押しかけたのである。結果、髙島屋前の歩道は五星紅旗が林立する異様な景色と化した。

「ワンチャイナ」

そう中国人がコールをすると、香港人たちはこう返した。

「ツーシステム」

もちろん、中国人側は、香港の分離独立を許さないという意味だが、それを香港人は「一国二制度」と返しているのだ。ひと通り混乱を引き起こして、中国人たちは意気揚々と解散していった。香港人たちの怯えた表情が印象的だった。

大阪ではしっかりと指示をしている人物が確認できた。関東と関西で、中国人の間には組織的な指示があったと思われる。中国人留学生同士の相互監視の引き締めも一つの目的だろう。

また、この時期、日本でも、香港デモへの支援の動きが広がっていた。中国人のカウンターもそうした日本の動きと無関係ではないようだ。

八月、日本の保守系の団体は渋谷駅前で大規模な街頭集会を行った。また、左派系の市民団体も新宿などでデモを行った。だが、両者とも事前に告知されていたにもかかわらず、香港人がまったく参加しない香港支援デモだった。このことを在日香港人たちに聞いてみた。

「私たちは外国人です。二〇一四年に雨傘運動に連動して、デモを行ったのですが、そのときに『日本で勝手なことをするな』というような罵声も浴びせられました。日本で政治活動をすることは大きなリスクがあります」

日頃、保守系の団体のデモでは「中国の侵略を許すな」と叫ばれ、一方の左派系市民団体の

2019年8月　大阪・髙島屋前の香港人デモにカウンターをしかける中国人留学生たち

デモでは「沖縄にも自治権を」というスローガンが叫ばれる。双方とも立場は違っても、元々主張してきた政治的テーマに、香港問題をリンクさせたいのだ。

「結局、日本人主催だと、日本人の政治的な主張と無関係ではないのです。支援はうれしいのですが、香港の問題を利用されている感じがするのです」

また、香港人主催でデモを行うと、日本人のレイシストが参加することがあり、結局、その排除だけでもたいへんになるという。新型コロナウイルス騒動以降、中国人というだけで入店拒否などを行う日本の現状を見ても分かる通り、日本で外国人として生きること、まして政治的活動をすることは難しいようだ。なお、日本における香港人のデモなどの活動は、完全に「和理非」で行われている。

香港が好きな中国人留学生

香港に関してのデモは、日本にいる香港人以外も主催することがある。日本の市民団体による香港の支援デモが、新宿アルタ前でときおり行われており、私はその様子を何度か取材に行った。といっても、香港人の参加はほとんどないために、取材の目的は、このデモを見ている中国人と話をすることだ。

日本人が主催しているからなのか、前述のような組織的な中国人による抗議はないのだが、目立つ場所で集会を開くため、通りすがりに、発作的に抗議をする中国人がいる。その日は、横断幕に「香港に自由を！」と書いてあることに、偶然前を通り掛かった中国人男性が、つっかかってきた。

「香港に自由はすでにあるじゃないか。それをまだ欲しいと言っているのがおかしい」

最初は北京語でまくし立てていたが、集会が日本人によるものだと知って、また彼は怒っていた。

「日本が香港のことに口を出すのか。香港は中国の一部だ」

警察も近くにいるためなのか、彼はそのまま集会の場所から離れていったのだが、私は彼の後を追って、話を聞いてみることにした。

「香港人は勘違いをしている。自治は中央の政府から与えられたものであって、彼らのものではない。そうする資格がなくなれば、中国政府から取り上げられても文句は言えない」

「日本は香港を独立させたいのか」

留学以来、六年日本に住んでいて、今も日本で働いている彼は「日本語のニュースは見ない」と言う。その理由は「日本のニュースでは、香港側からの話ばかりが取り上げられるからだ」そうだ。

――「香港独立」という言葉は気になる？

「独立を理由に、外国が中国を侵略することは、私たち中国人は経験してきたことだ」

おそらくは、戦前の日本の「満州建国」などのことを言っているのだろう。彼らにとっては、とうてい許せる歴史ではないのだから。

「香港人は踊らされている。アメリカが仕掛けているんだ」

ひとしきり私に話をぶつけたからなのか、彼はすっきりとした顔でいる。おそらくは彼は心からそう思っているし、動員された訳でもなく、純粋に、デモに反応したのだろう。

――例えば、民主主義になって、自分たちのリーダーを自分たちで選ぶことができたら、ということを考えたりはしないの？

「それで、日本がうまくいっているのか？」

　このとき、私は彼にとっさに反論できなかった。そのまま彼は友人との食事の待ち合わせ場所に向かっていった。

　また別の日のデモの話だ。女の子が二人程、何とも言えない表情で、集会を見ていた。話しかけると、二人は中国人留学生で、彼女らのうちの一人は上海《シャンハイ》出身の服飾関係のデザインを学んでいる学生だという。

「日本人は、何であんな暴徒を支持するんですか？」

　そう言って、暴徒であるデモ隊が一般市民を暴行している、という動画を見せられた。実は、第三章で私が遭遇したような、デモ隊に対して挑発的なことを言ってくる親中派に、デモ隊が暴力を振るっている映像だった。彼女の眼《め》から見たら、デモはそうした暴力を振るう暴徒が暴れているということなのだろう。私は自分が香港で見たものを、警察とやりあう香港の若者の気持ちまで説明した。すると、彼女は涙ぐみながら、語った。

「私は香港が好きでした。何度も香港に行っていました。ファッションに興味を持ったのも、香港に行ったからです」

　上海住まいの彼女は、家族と香港に何度か旅行に行ったそうだ。上海も都会であるが、彼女にとって香港はさらに洗練された場所だった。その香港が、壊されていくことが、彼女はショックだった。

「香港は自由だったんです」

彼女の口からも、自由という言葉が出た。

上海で大学を卒業して、それから彼女は日本に留学に来た。いずれは、上海に帰って、ファッション業界で仕事をしたいと言う。香港という街の自由さに触れて、彼女は自分がやりたいことをやる、と決めた。そのことで家族を説得もした。それは、ファッションを日本で学ぶことだったのだ。

――日本は自由ですか？

「自由です」

――日本は好きですか？

「はい」

――自由は好きですか？

何だか、誘導尋問みたいだが、流れで彼女に聞いたら、少し間があって答えた。

「はい」

――香港の学生たちも、自由を守るために戦っているだけなんだ。

彼女と長い沈黙を過ごした。私が何か、彼女をオルグするというものでもない。ただ、香港の学生たちの気持ちを伝えたかっただけなのだが、そうした話になって、今、彼女は涙ぐみながら、いろいろ考えているようだった。

——ごめんなさい。何かおせっかいかも知れないけど、香港のことを考えるならば、そのことだけは、覚えていてほしいから。

彼女は無言だった。私のようなおじさんが、アルタ前で、中国人の女の子を涙ぐませているのも、何だか変な構図だ。彼女は、日本に来る前に、いろんなことをすでに自分で考えていたようだった。それは、自分の祖国にあるものと、ないもの。自分の未来に何が必要なのか、そんなことだったのではないだろうか。

——私もこのことは、ずっと考え続けるつもりです。すぐに答えが出る問題ではないと思います。あなたも、これから先、考え続けてください。いつか、香港の彼らのことが分かるかも知れないから。

「はい」

私とした話など、明日、愛国心が強い友人にでも話をしたら、すぐに上書きされることなのかも知れない。だけど、日本に来ている彼らも、心のどこかで、香港の学生たちと通じるものがあるのだろうと私は信じたい。

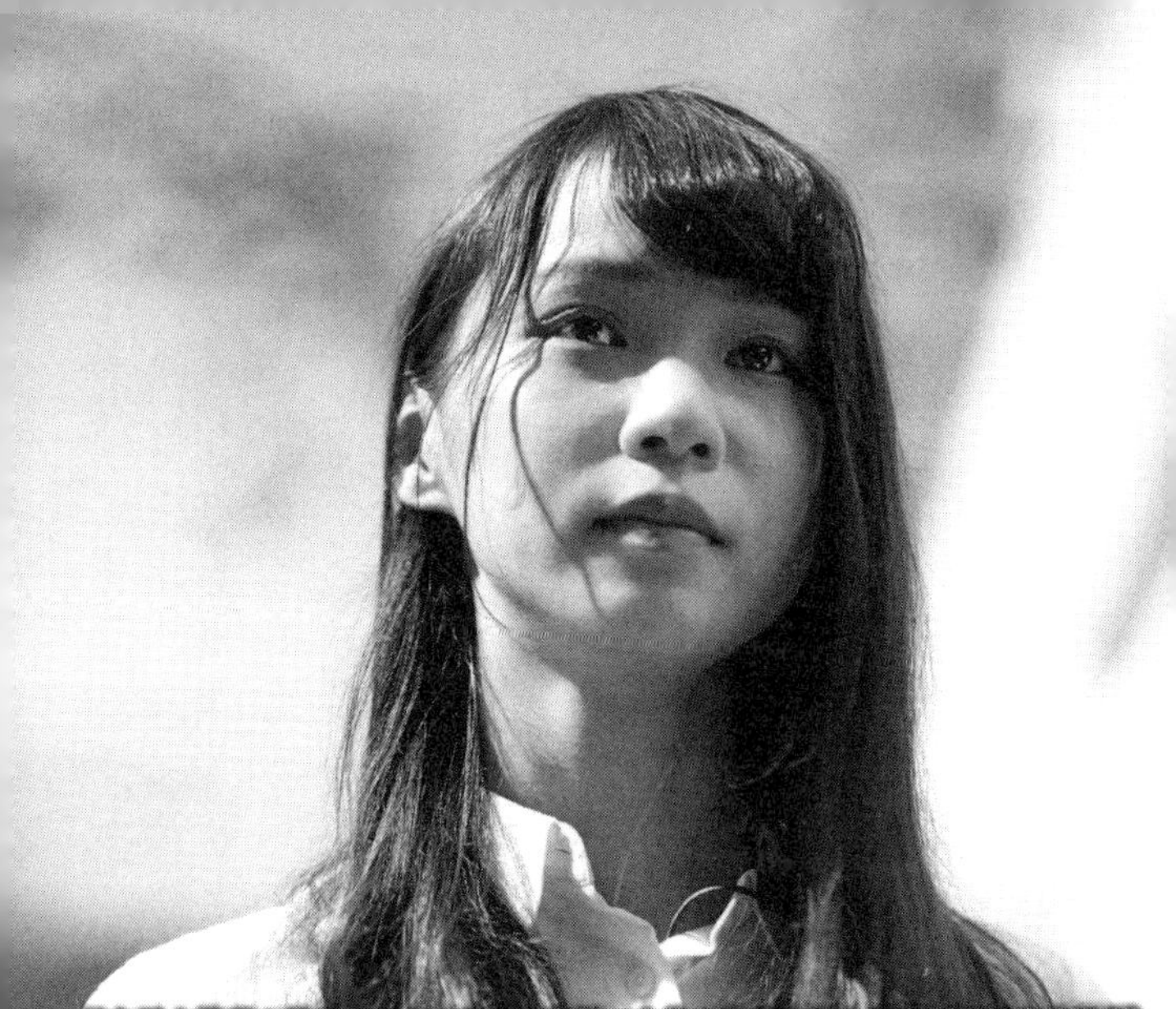

民主派大勝利の翌日、あえて厳しい表情で今後の決意を語る周庭（中村康伸撮影）

終章

周庭（アグネス・チョウ）の二〇一九年香港デモ

ユーチューバー・周庭の発信力

二〇一九年の香港デモを語る上で、もっとも日本人になじみ深い人物といえば、やはり周庭（アグネス・チョウ）だろう。日本語が堪能な上に、香港の現状について的確な解説をしてくれる彼女は、日本のマスコミからは重宝されていた。その愛らしいルックスもテレビ受けしていたようだ。

だが、本書でも度々登場している通り、一五歳から香港で民主化運動を続けてきた彼女は筋金入りの民主活動家である。雨傘運動以来の香港取材で、彼女への取材も同じ期間続けている私にとって、一つ忘れられないエピソードがあるので、紹介したい。

二〇一五年のクリスマスの夜、二回目の来日時のことだ。彼女の取材に立ち会ったのだが、その帰り道「渋谷に行きたい」と言う。渋谷の駅に降り立つやいなや、周庭はスマホを片手にフェイスブックのライブ中継を始めた。この夜のハチ公前には、サンタのコスプレで騒ぐために集まったパリピが群れをなしていた。その彼らのところに駆け寄っては、広東《カントン》語の「メリークリスマス」である「聖誕快楽」（セィンダンファイロッ）をスマホに向かって一緒に言わせていた。上半身裸のサンタ男や、肌もあらわなサンタギャルなどの日本のパリピたちも彼女に押され気味だった。一九歳になったばかりの彼女の物おじしない行動力に、一緒にいたカメラマンとただ唖然《あぜん》とするばかりだった。このライブ中継を見ていたのは六〇〇〇〇人以上に達した。

この時期、香港は第五章で触れた銅鑼湾（コーズウェイベイ）書店事件に揺れていた。中国政府の関与という事件の輪郭が明らかになっていく中で、年明け早々、周庭は日本の宿泊先から、フェイスブック上にビデオメッセージを発表した。クリスマスの夜とは違って、シリアスな表情で香港の不可解な事件について、全世界へ流暢な英語で語った。その動画は、発信直後に九万再生を超え、最終的には、二〇万再生近く行っていた。

「これくらい、香港で社会運動をしていたら、当たり前ですよ」

目の前でどんどん増える視聴者数に驚いていると、涼しい顔でそんなことを言われた。彼女のスマホは、世界に向けて発信する武器だった。

そんな周庭の姿を見ていた私にとって、彼女のユーチューバー宣言は遅過ぎるくらいだった。二〇二〇年二月、彼女はユーチューブに「周庭チャンネル」を開設した。

「おかえりなさいませ」

日本語と笑顔で始まった第一回目の放送は、ありがちな買い物したものなどを紹介する「開封の儀」だった。また、二回目はバレンタインデーに合わせて、チョコレート作りに挑戦した。日本のニュース番組に度々登場して、香港市民の切実な声を代弁していた彼女の姿からすると、かなりやわらかい内容だ。

逮捕も厭わない活動家の顔と、ユーチューバーというギャップ。彼女の新しい挑戦に、少し戸惑った日本人も多かったようだ。だが、軽妙なしゃべりと笑顔で彼女が開封したのは香港デモの最前線で活躍する勇武派のフィギュアと、日本の『漫画香港デモ 激動！２００日』という書籍だった。そして、バレンタインチョコを渡した相手は、新型コロナウイルス対策に奔走する香港の医療従事者の男性だ。エンタメの形をとりながら、香港の現状を彼女は伝えていた。現在まで、様々な動画を発表しているが、いつもテーマは香港で、基本、広東語で放送は行われている。字幕は広東語と日本語であり、動画の編集と日本語を含む字幕は、彼女自身がやっているという。

「新聞やテレビの取材も大事なんですが、その内容、書き方は取材する側が決めます。だから、他人まかせでなく、自分のメディアを持つことは重要だと思います。社会運動を行う上で、こうしたＳＮＳなどの自分のプラットホームを持つことは、今なら絶対に必要なことです」

彼女にユーチューブでの活動について聞くと、こんな答えが返ってきた。その言葉通り、取材で自分の発言が曲解されたときや、彼女の名前を騙った出版物などに対しては、その都度、ＳＮＳ上で彼女自身が声明を出していた。一九九六年の一二月生まれで、物心ついたときにはネット環境が身近にあった彼女はデジタルネイティブであり、社会運動を始めたときから、自分の言葉を使いネットで発信することは当たり前のことなのだ。

逮捕三回と選挙資格剝奪

彼女の経歴をたどろう。ハチ公前で次々とパリピに話しかける姿からは想像もつかないが、周庭は過去の自分を「内気でアイドルやアニメにしか興味がなかった」と語る。自らをオタクと自称する彼女はスポーツとは一見無縁のように見える。だが、実は水泳が得意だ。一時期は本気で競泳の選手を目指していたともいう。また、音楽もたしなみ、フルートを吹くのだとか。どちらも幼い頃からの習い事でやっていたようだ。一人っ子の彼女に対して、多くの香港の家庭と同じく彼女の両親は教育熱心だったと見える。

そんな彼女が社会運動に取り組み始めたのは、一五歳のとき。二〇一二年の反愛国教育運動に「学民思潮」のメンバーとして参加したことからだった。彼女は広報担当として人前に立つようになった。さらに二〇一四年の雨傘運動でも「学民思潮」は重要な役割を演じ、彼女も注目を浴びた。「民主の女神」と呼ばれ、日本のマスコミにも取り上げられた。

雨傘運動当時のことを振り返って、彼女は私にこう語ったことがある。

「とにかくずっと会議が多かったですね。これから、どうやったらいいのかとか。いろんなことで、ずっと会議が続いていたような印象です。そういうことに少し疲れていました」

何かと批判されていたリーダーの側の苦悩も見てとれる。二〇一九年のデモで、テレグラム

2016年の7・1デモの現場でチラシを配る周庭。すぐに人が集まってくる

などSNS上で行われている、デモ参加者たちの侃々諤々《かんかんがくがく》が、雨傘運動のときは、リーダーとしての彼女たちに全部降りかかっていたのである。

その後、彼女は大学に進学し、バイトをしながら、社会運動を続けてきた。その活動の中で三回逮捕されている。二〇一九年八月三〇日に逮捕・起訴された件で、現在も公判中の身だ。

「大学の卒業は、無事、許可が出ました。卒業式は一〇月か一一月になるでしょう」

日本の大学だと警察に逮捕された学生に対しては、退学などの処分が考えられるだろう。だが、香港では、政治犯である彼女を一方的に断罪しないのである。

「雨傘運動のときと、二〇一七年六月二八日の逮捕は、公衆妨害という罪でした。どちらも不起訴です。しかし、一九年の逮捕は『無許可デモの煽動』という容疑で、すぐに起訴されました。もちろん、納得がいくものではありません」

序章で詳述した六月二一日の警察本部の包囲が、彼女と黄之鋒（ジョシュア・ウォン）の煽動だというのである。前述の通り、彼女は後から来た参加者の一人でしかない。私も、その目撃者の一人だ。この逮捕は、翌日、八月三一日に予定されていた大規模デモを牽制するためのもので、同時に民主派の立法会議員も三人逮捕されている。

「逮捕は香港だと、社会運動をしていれば珍しいことではありません」

二〇一四年の逮捕について初めてインタビューした一五年、彼女は事も無げに言った。だが、一九年の逮捕は、彼女を保釈中という身分にして、行動をかなり制限している。新型コロナウイルス騒動によって中断されたため、彼女の裁判は、現在先が見えないままになっている。

逮捕だけではない。周庭は、市民としての権利すら当局から奪われていた。二〇一八年三月の立法会議員の補欠選挙である。当時、彼女が所属する政党「香港衆志」の幹部メンバーで唯一立候補できる条件が揃っていた彼女は、様々な困難を覚悟で出馬表明をした。しかし、選挙管理委員会は、香港衆志の綱領に香港基本法に反する部分があるとして、彼女の出馬を無効としたのである。結果、彼女は出馬できず、他の民主派候補の応援に回った。私は、現地で彼女の応援演説などを取材した。

「諦めないでください。手にしている一票を軽んじないでください。個人の力を軽んじないでください。生きている心は誰かを動かせるから。諦めないで努力し続けていけば、いつか必ず成果を得られると、私は信じています」（翻訳・倉田明子東京外国語大学准教授）

このときの言葉通り、周庭はその後もまったく諦めていなかった。

日本との絆《きずな》

周庭は二〇一五年以来、度々、来日している。当初、日本の同世代の若者たちと話をして、ショックを受けたという。それは「政治的無関心」を目の当たりにしたからだ。普通選挙を求めて戦っている彼女からすると、そもそも政治を考えることすらしない日本の学生は本当に「信じられない」存在だったという。

「日本には、自分は政治とは関係がないと言って、投票権はあっても投票しない人がたくさんいます。本当に驚きました。でも、今から考えると、日本社会と香港社会は違うし、香港でも二〇年以上前だったら、みんな政治に無関心という雰囲気だったようです。それが、現在は政治に無関心という人が逆にマイノリティになったんです。香港社会は進化、成長したんだと感じています」

そんな彼女も日本で自分たちと近い考えを持つ若者たちと出会った。奥田愛基《あき》など、元シー

渋谷で香港支援集会を呼びかけた元シールズの奥田との３年ぶりの再会（中村康伸撮影）

ルズのメンバーたちだ。

「シールズの奥田くんと話をして、日本の一般的な若い人たちと考え方がぜんぜん違うなと思いました。日本の若者には政治に関心を持つ人が少ないし、政府に対して批判的な態度を取る人もすごく少ない。日本の若者たちの間では、奥田くんのような活動をすること自体が珍しい存在なんだと思います。奥田くんも私たちと同じ、民主主義を信じています。だから、奥田くんたちは、私たちと近い考えを持っていると思います」

彼女と奥田との対談の様子は『日本×香港×台湾　若者はあきらめない』（太田出版）という書籍にまとめられた。彼女に続いて、ジョシュアも奥田らと対談をしている。民主主義という一点で香港と日本の若者は繋がったのである。

二〇一九年の香港警察による市民への弾圧に対して、奥田はいち早く声をあげた。六月一三日に渋谷駅前で行われた「香港の自由と民主主義を守る緊急行動」である。彼は周庭やジョシュアが大切な友人であることを伝え、「催涙弾を撃たれている若者は、渋谷を歩いている人と何も変わらないんです。ぼくはもう、血を流している若者を見たくない。一緒に声をあげてください」と呼びかけた。この日、渋谷駅前に集まった二五〇〇人程が「香港」「加油」を叫んだ。

その翌日のことだ。周庭と奥田は三年ぶりに再会した。六月一〇日に日本記者クラブでの会見のために緊急来日していた周庭は、連日の取材のために疲れていた様子だったが、奥田が現れると、満面の笑みとなった。次の取材が控えているため、二人の再会は本当に短い時間だったのだが。

「今度、ぜったいにカラオケ行こうね」

周庭からのたっての要望だ。しかし、前述の通り、彼女の出国制限のため、まだ約束は果たされていない。

運動を続けていける力

二〇一九年の逃亡犯条例反対デモに関しては、彼女は一参加者という立場を取っている。もちろん、集会でマイクを握ることもあるが、前述のように逮捕容疑を否認している通り、彼女は自分たちの団体「香港衆志」としても、あくまで香港人全体で作り上げたデモの参加者ということのようだ。

「それについては今後も立場は変わりません。香港の社会運動の参加者として活動していきたいと思います。できるだけ、デモにも参加したいです。また、国際社会との連携ということも引き続きやっていきたいです」

逮捕によって様々な制限が課されてはいるが、今後も「和理非」の活動に徹するということだ。今回のデモに参加している勇武派についても聞いてみた。

「何派という分け方はあまり意味がないことです。穏健な手段で抗議する人もいて、過激な手段で抗議する人もいる。みんな、この運動の参加者の一人として、真剣にやっています。みんな同じ運動に参加しているという団結の力が、今回の運動をここまで続ける力になったのだと思います」

第二章で触れた通り、雨傘運動の後、本土派から彼女は批判の対象とされた。だが、それも現在は解消されつつある。

これは二〇一九年一一月の区議会議員選挙の投票日のことだ。友人の立候補者への応援に駆けつけていた周庭に声をかけ、若い男の子たち二人が、一緒に写真を撮っていた。その二人に話を聞いた。

「ぼくたち、勇武で活動しています」

一八歳だと言う彼らにとって周庭は「本物のほうがかわいい」「ファンになった」と、大騒ぎだった。彼らの政治的な立場を聞いたところ「本土派です」と、屈託のない笑顔で答えた。反送中デモで政治に目覚めた彼らにとって、周庭は一緒に戦う大事な仲間のようだ。

このことを伝えると、彼女は苦笑しながら答えた。

「みんな今、そんな雰囲気です。一つになって団結する。お互いに尊重するということ。それが二〇一九年の運動で学んだことです。香港は、今やっとそういう形になりました」

だが、二〇二〇年に入ってから、前年のような大規模なデモは行われなくなった。日本では、香港デモの報道がなくなり、すでにデモが終息したとの見方も出ているが、彼女はそのことを否定する。

「もちろん、新型コロナウイルスの影響です。大規模なデモはできないので、一見、デモが収まったように見えるかも知れませんが、このウイルスによって『政府の対応がおかしい』という怒りの声が改めて起きています。隔離施設などの問題です。みんな香港政府に不満を持ちながら、自宅でじっとしているのです。それが終わるとき、不満は噴出するでしょう」

彼女の指摘通り、香港人は納得していない。防護服が救急隊員よりも警察に優先的に配られている状況や、住宅地への隔離施設の強引な設置、そのことに反対する住民を力で抑えつけるやり方など、不満はくすぶり続けている。

「そうした不満はいつか噴出するでしょう。現在、例年の七月一日の大規模デモでさえ、開催の目処《めど》がたっていませんが、九月には立法会議員選挙が予定されています。私たち『香港衆志』は、九月に向けていろんな活動を繰り広げていくことでしょう。それだけは、はっきりしています」

日本のサブカルチャー

彼女に最近観たアニメを聞いた。

「それは『ヴァイオレット・エヴァーガーデン』です。本当によかったです。ずっと泣きました。あれは、最高です。あの作品の中の人と人の関係の大切さとか、人に対する気持ちを大事にすることなども、すごく感動しました。そして、七月のあの日は本当につらかったです」

彼女は二〇一九年七月一八日に起こった京都アニメーション放火殺人事件の後、追悼のコメントをツイッターに発表していた。

日本語を勉強して、翻訳なしで作品を楽しめるようになって、彼女は日本のこうしたサブカルチャーにより深くハマっているようだ。時にそれは、彼女を楽しませ、また勇気づけている。

だが、そんな彼女に対して、水を差す事件が起きた。中国である。

一一月、香港のデモが過激さを増している時期のことだ。小倉百人一首競技かるたの世界を描いたマンガ「ちはやふる」の作者・末次《すえつぐ》由紀が周庭のツイートにいいねをしてリツイートした。すると、中国で原作のマンガとアニメ、映画などの配信が一時期すべて削除されたのだ。

「本当に『ありえないこと』だと思っています。でも、そんな不合理なことが起こるのが中国という国。言論の自由、ネットでの自由もないのです。そうしたことが日常的に行われているのです」

中国は巨大なマーケットを人質に取り、日本のクリエイターをコントロールしようとしているのである。

周庭に対して、過剰反応とも取れる措置を取るのは、中国がそれだけ彼女の影響力を恐れているのだろう。

周庭はなぜ戦い続けることができるのか

銅鑼湾書店事件の例を出すまでもなく、北京政府は時として手段を選ばない。周庭は、直接的に危害を加えられるというような不安はないのだろうか。

「香港人はみんな警察、中国政府に対して恐怖感があります。もう、やりたい放題で、誘拐、殺人と全部可能です。実際に、行方不明の人や、亡くなった若者もいて、正直、怖いですよ」

一五歳からすでに八年間も民主化運動の最前線にいる周庭から見ても、現在の香港の警察と政府の状況は異常と映っている。それでも、運動をずっと続けるのは、なぜなのだろうか。

「政府に対して、声をあげる必要があるからです。自由は抑えられ、社会的な不公平や格差など、納得できない問題は次々と増えています。これは黙って見過ごせません」

香港政府への彼女のダメ出しは、そのまま香港という土地への彼女の愛でもある。

「インタビューで、この先、香港からどこかに移民しますか？　と聞かれたことがあります。でも、そんな気持ちは今、まったくないです。香港は自分の家ですから、ずっと守り続けたいです。政府は本当に最悪ですが、少しでもいい方向に変えたい」

だが、いずれ現実はやってくる。二〇四七年の一国二制度の終了だ。

「そのとき、私は一体、どうなっているのか。そして、二〇四七年という未来には、香港という場所があるのかどうかさえも分からないですね」

彼女の悲観的な予想には、前章までにあげた様々な要因が影響しているのだろう。広東語の問題や、地価をはじめ香港という都市が抱える問題だ。北京政府が掲げる「グレーターベイエリア（粤港澳大湾区）構想」という開発計画がある。澳門《マカオ》と香港に、広東省を加えて、広大なベイエリア経済圏とするものだ。計画が実現すれば、香港はこの地域の一つでしかなくなる。

やはり、香港がなくなる、という危機感はあるのだろうか。

「危機感というより、恐怖感でしょうか。そのとき、私は絶対、香港を離れないとは言えないですが、離れたくはないんです。どんな状況でも香港を今より少しでもいい方向に変えたいです。その信念はずっと変わりません。それが、私が社会運動に参加している理由です」

不安と恐怖、そんなものと戦いながら、周庭は香港で抵抗し続ける。

「私には仲間がいます。この戦いは、一人ではなく、仲間がいるから続けられる。それは、香港衆志の仲間、民主派の仲間だけでなく、日本から応援してくれる人も含みます。そんな仲間がいる限り、香港の民主化、市民の権利のために、戦い続けたいと思います」

それは、愛する香港を守るためである。

「私も香港人も、絶対に諦めませんから」

あとがき

二〇一四年一〇月、秋晴れの香港・金鐘の幹線道路上、色とりどりのテントが立ち並ぶ不思議な光景と、そこにいた人々の屈託のない笑顔。私にとっての香港取材はそこから始まった。思えば、雨傘運動との出会いは幸せだった。

それから五年が経過した二〇一九年の香港は、ずいぶんと違う風景の連続だった。暴力と破壊の応酬が日常となり、命すら失われるようになった。自分の中での折り合いがつかないまま、取材の現場に通うしかない日々が続いた。

本書の取材で心がけたことは、小さな物語を集めることだった。香港デモの参加者たちは、それぞれの思いとともに、守りたい大事なもののために戦っていた。火炎瓶の炎と催涙ガスで見失いがちだったが、勇武派の覆面の下にも、雨傘のときと変わらない人懐っこい笑顔があった。

傷つきながら、自由を希求する香港の人々。彼らは決して諦めない。いつの日か、その手に自由と民主主義を勝ち取ると信じている。

取材においては、私は人の縁に恵まれていた。香港人、日本人問わず多くの方に協力してもらえた。だが、名前を出せない方も多い。この場を借りて御礼申し上げたい。
最後に、本書を完成できたのは、現在、集英社OBとなった長谷川浩さんと、編集を担当していただいた集英社の渡辺千弘さんのおかげである。

自由のために、戦うすべての人へ

二〇二〇年四月

小川善照

本書の取材にあたっては、日本人と香港人を両親に持つ福田のぞみくんはじめ、香港人、日本人数名の方に通訳としてご協力いただいた。また、雨傘運動以来、香港を撮影している写真家の中村康伸氏には、周庭さんの写真など数点を提供してもらった。特に記載がない写真は、筆者の撮影による。

小川善照（おがわ よしあき）

一九六九年、佐賀県生まれ。東洋大学大学院博士前期課程修了。社会学修士。一九九七年から週刊ポスト記者として、事件取材などを担当。『我思うゆえに我あり』で、第一五回小学館ノンフィクション大賞の優秀賞を受賞。社会の病理としての犯罪に興味を持ち続けている一方、雨傘運動以来、香港へ精力的に足を運び「Forbes」「日刊ゲンダイ」などの連載でその様子を綴っている。

香《ほん》港《こん》デモ戦《せん》記《き》

二〇二〇年五月二〇日　第一刷発行

集英社新書一〇二一B

著者……小川善照《おがわよしあき》

発行者……茨木政彦

発行所……株式会社集英社

東京都千代田区一ツ橋二-五-一〇　郵便番号一〇一-八〇五〇

電話　〇三-三二三〇-六三九一（編集部）

〇三-三二三〇-六〇八〇（読者係）

〇三-三二三〇-六三九三（販売部）書店専用

装幀……原　研哉

印刷所……凸版印刷株式会社

製本所……加藤製本株式会社

定価はカバーに表示してあります。

ISBN 978-4-08-721121-4 C0236

Printed in Japan

a pilot of wisdom

五輪スタジアム「祭りの後」に何が残るのか
岡田 功　1010-H
過去の五輪開催地の「今」を現地取材。それを踏まえて、新国立競技場を巡る東京の近未来を考える。

証言 沖縄スパイ戦史
三上智恵　1011-D
敗戦後も続いた米軍相手のゲリラ戦と身内同士のスパイ戦。陸軍中野学校の存在と国土防衛戦の本質に迫る。

出生前診断の現場から 専門医が考える「命の選択」
室月 淳　1012-I
「新型出生前診断」はどういう検査なのか。最先端の研究者が、「命の選択」の本質を問う。

水道、再び公営化！ 欧州・水の闘いから日本が学ぶこと
岸本聡子　1013-A
水道民営化に踏み出す日本。しかし欧州では再公営化運動が大躍進中。市民の水道を守るヒントが欧州に！

「井上ひさし」を読む 人生を肯定するまなざし
今村忠純／島村 輝／大江健三郎／辻井 喬／永井 愛／平田オリザ／小森陽一・成田龍一 編著　1014-F
井上ひさしに刺激を受けながら創作活動を続けてきた大江健三郎ら創作者たちが、メッセージを読み解く。

ストライキ2.0 ブラック企業と闘う武器
今野晴貴　1015-B
アップデートされ世界中で実践されている新しいストを解説、日本社会を変える道筋を示す。

改訂版 著作権とは何か 文化と創造のゆくえ
福井健策　1016-A
著作権を専門とする弁護士が、基礎や考え方をディズニー、手塚治虫などの実例・判例を紹介しつつ解説。

バーテンダーの流儀
城アラキ　1017-H
酒と酒にまつわる人間関係を描き続けてきた漫画原作者が贈る、教養としての大人のバー入門。

百田尚樹をぜんぶ読む
杉田俊介／藤田直哉　1018-F
ベストセラー作家、敏腕放送作家にして「保守」論客の百田尚樹。全作品を気鋭の批評家が徹底的に論じる。

北澤楽天と岡本一平 日本漫画の二人の祖
竹内一郎　1019-F
手塚治虫に影響を与えた楽天と一平の足跡から、日本の代表的文化となった漫画・アニメの歴史を描く。